UM ESTUDO EM VERMELHO

Arthur Conan Doyle

UM ESTUDO EM VERMELHO

Tradução
Deborah Stafucci

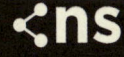

São Paulo, 2018

O signo dos quatro
The sign of the four
Copyright © 2018 by Novo Século Editora Ltda.

COORDENAÇÃO EDITORIAL: SSegovia Editorial
TRADUÇÃO: Maria Teresa Mancini
PREPARAÇÃO: Deborah Stafussi
REVISÃO: Tamires Cianci • Silvia Segóvia
CAPA: Marina Ávila
PROJETO GRÁFICO: Jacob Paes
DIAGRAMAÇÃO: Abreu's System
IMPRESSÃO: Maistype

EDITORIAL
Jacob Paes • João Paulo Putini • Nair Ferraz
Rebeca Lacerda • Renata de Mello do Vale • Vitor Donofrio

Texto de acordo com as normas do Novo Acordo Ortográfico da Língua Portuguesa (1990), em vigor desde 1º de janeiro de 2009.

**Dados Internacionais de Catalogação na Publicação (CIP)
Angélica Ilacqua CRB-8/7057**

Doyle, Arthur Conan, 1859-1930
   Um estudo em vermelho / Arthur Conan Doyle ; tradução de Deborah Stafucci. – Barueri, SP : Novo Século Editora, 2018.
   (Coleção O Elementar de Sherlock Holmes)

   Título original: The sign of the four

   1. Ficção escocesa 2. Ficção policial I. Título II. Mancini, Maria Teresa

18-0975   CDD E823

Índices para catálogo sistemático:
1. Ficção escocesa   E823

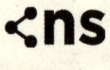

Alameda Araguaia, 2190 – Bloco A – 11º andar – Conjunto 1111
CEP 06455-000 – Alphaville Industrial, Barueri – SP – Brasil
Tel.: (11) 3699-7107 | Fax: (11) 3699-7323
www.gruponovoseculo.com.br | atendimento@gruponovoseculo.com.br

SUMÁRIO

PARTE 1 - Uma reimpressão das memórias do Dr. John H. Watson, oficial do Departamento Médico do Exército

1: O Sr. Sherlock Holmes	9
2: A ciência da dedução	18
3: O mistério de Lauriston Garden	29
4: O que John Rance tinha a dizer	41
5: Nosso anúncio atrai um visitante	49
6: Tobias Gregson mostra o que consegue fazer	57
7: Uma luz na escuridão	67

PARTE 2 - O país dos santos

1: Na grande planície alcalina	79
2: A flor de Utah	90
3: John Ferrier fala com o profeta	98
4: Uma fuga pela vida	104
5: Os Anjos Vingadores	115
6: Uma continuação das memórias do Dr. John Watson	125
7: A conclusão	137

PARTE 1

Uma reimpressão das memórias do Dr.
JOHN H. WATSON, oficial do Departamento
Médico do Exército

1
O SR. SHERLOCK HOLMES

NO ANO DE 1878, consegui meu diploma de doutor em Medicina pela Universidade de Londres e segui para Netley para fazer o curso prescrito para cirurgiões do exército. Após completar meus estudos lá, fui apropriadamente encaminhado para o 5º Regimento de Fuzileiros de Northumberland como cirurgião assistente. O regimento estava aquartelado na Índia à época, e antes que eu pudesse me juntar a eles teve início a segunda guerra afegã. Quando cheguei em Mumbai, tive a informação de que minha unidade militar havia seguido pelos desfiladeiros e avançava no país inimigo. No entanto segui com muitos outros oficiais que estavam na mesma situação que eu e consegui chegar em segurança a Candaar, onde encontrei meu regimento e, enfim, iniciei minhas novas funções.

A campanha proporcionou honras e promoções para muitos, mas, para mim, não houve nada além de infortúnio e desastre. Eu fui retirado da minha brigada e escalado para os Berkshires, com quem servi durante a batalha final de Maiwand. Lá, fui atingido no ombro por uma bala de *jezail*[1], que despedaçou meu osso e es-

---
[1] O *jezail* era uma arma feita à mão, de baixo custo e simples, utilizada antigamente em alguns lugares do Oriente Médio, da Ásia Central e da Índia Britânica. (N. T.)

barrou na artéria subclávia. Eu teria caído nas mãos dos assassinos caso não fosse a devoção e a coragem demonstradas por Murray, meu assistente, que me lançou sobre um cavalo de carga e conseguiu me levar em segurança até as frentes britânicas.

Esgotado pela dor e fraco pelas dificuldades prolongadas que havia sofrido, fui removido, com um grande comboio de feridos, para o hospital da base, em Peshawar. Ali, recuperei-me e melhorei a ponto de conseguir caminhar pela guarnição e até mesmo relaxar um pouco no terraço, quando fui abatido pela febre tifoide, aquela maldição presente em nossos territórios indianos. Não havia esperança para minha vida, e quando eu finalmente recuperei a consciência e fiquei convalescente, estava tão fraco e magro que uma junta médica decidiu que não deveria se passar nem mais um dia até que eu fosse mandado de volta para a Inglaterra. Fui transportado, adequadamente, no navio de carga de tropas "Orontes", e atracamos um mês depois no píer de Portsmouth, com a minha saúde irreparavelmente arruinada, no entanto, com a permissão de um governo paternal para passar os nove meses seguintes tentando recuperá-la.

Não tinha amigos nem parentes na Inglaterra e, portanto, estava livre como o ar — ou tão livre quanto um homem com renda de onze xelins e 6 *pennies* por dia poderia ser. Sob tais circunstâncias, segui para Londres, aquele enorme esgoto para onde todos os vadios e preguiçosos do Império eram irresistivelmente escoados. Lá, permaneci durante algum tempo em um hotel particular em Strand, levando uma existência sem conforto e sem significado, e gastando todo o dinheiro que eu tinha de forma muito mais livre do que deveria. A situação das minhas finanças se tornou tão alarmante, que logo percebi que deveria deixar a metrópole e viver em algum lugar no interior, ou então mudar completamente meu estilo de vida. Ao escolher a última opção, decidi sair do hotel e me mudar para um domicílio menos pretensioso e menos caro.

No dia exato em que tomei essa decisão, estava no bar Criterion quando alguém tocou em meu ombro e, ao me virar, reconheci o jovem Stamford, que havia sido meu assistente em Barts. A visão de um rosto familiar na grande selva de Londres é realmente agradável para um homem solitário. Antes, Stamford nunca havia sido particularmente um camarada meu, contudo eu o saudei com entusiasmo e ele, por sua vez, pareceu alegre em me ver. Na exuberância de minha alegria, pedi que almoçasse comigo em Holborn, e partimos juntos em uma carruagem.

— O que você tem feito de sua vida, Watson? — perguntou ele, sem disfarçar seu espanto, enquanto chacoalhávamos pelas ruas lotadas de Londres. — Você está magro como uma ripa e marrom como uma noz.

Então contei a ele um breve resumo de minhas aventuras e mal havia terminado de falar quando chegamos ao nosso destino.

— Pobre coitado! — bradou ele, compadecido, após ouvir meus infortúnios. — O que você está fazendo agora?

— Procurando um lugar para ficar — respondi. — Tentando resolver o problema quanto à possibilidade de conseguir quartos confortáveis a um preço razoável.

— Isso é estranho — comentou meu companheiro. — Você é o segundo homem que diz isso para mim hoje.

— E quem foi o primeiro? — perguntei.

— Um companheiro que está trabalhando em um laboratório químico no hospital. Ele estava se lamentando esta manhã porque não conseguia alguém para dividir com ele aposentos agradáveis que havia encontrado e que são caros demais para seu bolso.

— Uau! — retorqui. — Se ele realmente quer alguém para dividir os aposentos e as despesas, sou o homem certo para isso. Prefiro ter um colega a viver sozinho.

O jovem Stamford olhou para mim sobre sua taça de vinho com estranheza.

— Você ainda não conhece Sherlock Holmes — disse. — Talvez você não o quisesse como companhia constante.

— Por quê? O que há de errado com ele?

— Bem, eu não disse que havia algo de errado com ele. Holmes é um pouco esquisito em suas ideias, um entusiasta em alguns ramos da ciência. Até onde sei, é um camarada decente.

— Um estudante de medicina, suponho? — indaguei.

— Não. Eu não tenho ideia do que ele pretende estudar. Acredito que seja bom em anatomia e é um químico de primeira, mas, pelo que eu saiba, ele nunca assistiu a nenhuma aula sistemática de medicina. Seus estudos são muito inconstantes e excêntricos, mas ele acumulou muito conhecimento fora do comum, que surpreenderia seus professores.

— Você nunca perguntou o que ele gostaria de fazer? — questionei.

— Não, não é fácil extrair informações dele, embora possa ser bastante comunicativo quando a ideia o atrai.

— Vou gostar de conhecê-lo — falei. — Se devo dividir um aposento com alguém, prefiro um homem de estudos e hábitos silenciosos. Ainda não estou forte o suficiente para suportar muito barulho ou animação. Eu já tive o bastante de ambos no Afeganistão para ser um lembrete de minha existência natural. Onde posso encontrar esse seu amigo?

— Ele deve estar no laboratório — respondeu meu companheiro. — Ele evita o lugar durante semanas ou então trabalha lá de manhã até a noite. Se quiser, podemos ir lá juntos após o almoço.

— Certamente — respondi, e a conversa tomou outro rumo.

Em nosso caminho para o hospital após sair de Holborn, Stamford me deu mais detalhes sobre o cavalheiro de quem me propus a ser companheiro de aposento.

— Você não poderá me culpar se não se der bem com ele — disse. — Não sei nada sobre ele além do que ouvi ocasionalmente no laboratório. Você sugeriu esse acordo, então não deve me responsabilizar.

— Se não nos dermos bem será fácil seguirmos caminhos separados — respondi. — Parece-me, Stamford, que você tem algum motivo para lavar suas mãos em relação a esse assunto — acrescentei, olhando diretamente para ele. — Esse camarada tem um temperamento formidável ou o quê? Não seja contido a respeito disso.

— Não é fácil expressar o inexpressável — respondeu ele com uma risada. — Holmes é um pouco científico demais para o meu gosto. É quase sangue-frio. Eu poderia imaginá-lo entregando a um amigo uma pitada de alcaloide de vegetal, não por maldade, você entende, mas simplesmente por um espírito de investigação, para poder ter uma ideia exata dos efeitos. Para ser justo, acredito que ele mesmo o provaria com a mesma prontidão. Ele parece ter uma paixão pelo conhecimento definido e exato.

— Muito correto, também.

— Sim, mas pode ser levado ao excesso. Quando se trata de bater nos cadáveres nas salas de dissecção com uma vareta, certamente toma uma forma bem bizarra.

— Bater nos cadáveres?

— Sim, para verificar até onde é possível provocar ferimentos após a morte. Eu já vi com meus próprios olhos.

— E ainda assim você afirma que ele não é estudante de medicina?

— Não. Só Deus sabe quais são seus objetos de estudo. Mas aqui estamos, e você deve ter suas próprias impressões a respeito dele.

Enquanto Stamford falava, viramos em uma rua estreita e passamos por uma pequena porta, que se abriu para a ala do grande hospital. Era um terreno familiar para mim e eu não precisei de nenhuma orientação enquanto subíamos a sombria escada de pedra e passávamos pelo longo corredor, com suas paredes brancas e portas pardas. Perto do fim do corredor, uma passagem baixa, em formato de arco, separava-se dele e levava ao laboratório de química.

Era uma câmara elevada, arrumada e repleta de inúmeras garrafas. Havia mesas baixas e largas espalhadas e, sobre elas, como cerdas, existiam retortas, tubos de ensaio e pequenos bicos de

Bunsen, com suas brilhantes chamas azuis. Havia apenas um estudante na sala, curvado sobre uma mesa distante, absorvido em seu trabalho. Ao som de nossos passos, ele olhou ao redor e deu um salto com um grito de contentamento.

— Eu descobri! Eu descobri! — gritou ele para o meu colega, correndo em nossa direção com um tubo de ensaio em sua mão.

— Eu descobri um reagente que é ativado pela hemoglobina e somente por ela.

Se ele tivesse descoberto uma mina de ouro, seu rosto não demonstraria tanta felicidade quanto nessa hora.

— Doutor Watson, Sr. Sherlock Holmes — disse Stamford, apresentando-nos.

— Como vai? — perguntou ele cordialmente, apertando minha mão com uma força pela qual não teria lhe dado crédito. — Percebo que você esteve no Afeganistão.

— Como você sabe disso? — indaguei, espantado.

— Não importa — afirmou ele, sorrindo consigo mesmo. — A questão agora é sobre a hemoglobina. Não há dúvidas de que você vê a importância de minha descoberta, certo?

— Quimicamente, é interessante, sem dúvida — respondi. — Mas na prática...

— Bem, homem, é a descoberta médico-legal mais prática dos últimos anos. Você não vê que ela nos fornece um teste infalível para manchas de sangue? Venha até aqui agora!

Em sua ansiedade, ele puxou-me pela manga de meu casaco e me levou até a mesa onde estava trabalhando.

— Vamos pegar um pouco de sangue fresco — disse, espetando seu dedo com uma espécie de agulha e extraindo uma gota de seu sangue com uma pipeta. — Agora, acrescento esta pequena quantidade de sangue a um litro de água. Você irá perceber que a mistura resultante tem a aparência de água pura. A proporção de sangue não pode passar de uma parte para um milhão. Eu não tenho dúvidas, no entanto, de que poderemos obter a reação característica.

Enquanto falava, ele lançou alguns cristais brancos no recipiente e, então, adicionou algumas gotas de um líquido transparente. Em um instante, o conteúdo ganhou uma cor de mogno pálido e um pó amarronzado acumulou-se no fundo do vidro.

— Haha! — bradou ele, batendo palmas e parecendo tão feliz quanto uma criança com um brinquedo novo. — O que você acha disso?

— Parece ser um teste muito delicado — observei.

— Lindo! Lindo! O antigo teste com Guaiacum era malfeito e incerto. Então esta é a análise microscópica para glóbulos de sangue. O antigo teste é inútil se as manchas já existirem há pouco mais de algumas horas. Agora, isso parece funcionar mesmo se a mancha de sangue for velha ou nova. Se esse teste tivesse sido inventado antes, centenas de homens que agora caminham sobre a Terra já teriam cumprido a pena por seus crimes.

— De fato! — murmurei.

— Os crimes se desdobram sobre aquele ponto. Um homem se torna suspeito de um crime talvez meses após tê-lo cometido. Suas vestes ou roupas são examinadas e há manchas amarronzadas nelas. São manchas de sangue, de lama, de ferrugem, de fruta? O que são? Essa é a pergunta que tem intrigado os especialistas, e por quê? Porque não havia um teste confiável. Agora temos o teste Sherlock Holmes, e não haverá mais dificuldades.

Seus olhos brilhavam enquanto falava, e ele colocou suas mãos sobre o coração e curvou-se, como para uma plateia que o aplaudia, conjurada por sua imaginação.

— Você deve ser parabenizado — comentei, surpreso por seu entusiasmo.

— Houve o caso de Von Bischoff em Frankfurt no ano passado. Ele certamente teria sido enforcado se esse teste já existisse. Teve também o caso Mason, de Bradford, e o notório Muller, e Lefreve, de Montpellier, e Samson, de Nova Orleans. Eu poderia fazer uma lista de casos em que ele teria sido decisivo.

— Você parece ser um calendário de crimes ambulante — disse Stamford com uma risada. — Você poderia começar um jornal com essas linhas. Chame-o de *Notícias policiais do passado.*

— Poderá ser uma leitura muito interessante também — observou Sherlock Holmes, colocando um pouco de emplastro sobre a picada em seu dedo. — Eu preciso tomar cuidado — continuou, virando-se para mim com um sorriso —, pois mergulho minhas mãos em veneno.

Ele mostrou a mão enquanto falava e notei que estava salpicada com pedaços similares de emplastro, e descolorida por ácidos fortes.

— Nós viemos aqui a negócios — disse Stamford, sentando-se em um banco alto, com três pés, empurrando outro banco em minha direção com seu pé. — Meu amigo aqui quer um lugar para morar, e como você estava reclamando que não conseguia ninguém para dividir com você, pensei que seria melhor apresentá-los.

Sherlock Holmes parecia encantado com a ideia de dividir seu aposento comigo.

— Estou de olho em uma suíte na Baker Street — disse ele — que seria perfeita para nós. Você não se importa com o cheiro de tabaco quente, não?

— Eu mesmo fumo sempre um tabaco de marinheiros — respondi.

— É o bastante. Eu geralmente tenho produtos químicos por perto e às vezes faço experimentos. Isso o incomodaria?

— De jeito nenhum.

— Deixe-me pensar... quais são minhas outras falhas. Eu entro em lixeiras às vezes e não falo nada durante dias. Não pense que estou zangado quando fizer isso. Apenas me deixe quieto e logo ficarei bem. E você, o que tem para confessar agora? É apropriado a dois cavalheiros conhecerem o que há de pior um no outro antes de começarem a morar juntos.

Eu ri com esse interrogatório.

— Eu tenho um filhote de buldogue — falei — e sou contra algazarras porque meus nervos são afetados; levanto a qualquer hora e sou extremamente preguiçoso. Eu tenho outra série de vícios quando estou bem, mas esses são os principais no momento.
— Você incluiria tocar violino em sua categoria de algazarra? — perguntou ele, ansioso.
— Depende do violinista — respondi. — Um violino bem tocado é uma delícia para os deuses; um mal tocado...
— Ah, entendi — bradou, com uma gargalhada. — Acho que podemos considerar o acordo fechado; isso se os quartos forem do seu agrado.
— Quando podemos vê-los?
— Procure por mim aqui, amanhã, ao meio-dia, e iremos juntos e resolveremos tudo — respondeu.
— Tudo bem. Exatamente meio-dia — combinei, com um aperto de mão.

Nós o deixamos trabalhando em meio às suas substâncias e caminhamos juntos em direção ao meu hotel.

— A propósito — perguntei repentinamente, parando e virando-me para Stamford —, como ele sabia que eu vim do Afeganistão?

Meu colega sorriu de forma enigmática.

— Essa é apenas sua pequena peculiaridade — disse. — Muitas pessoas já quiseram saber como ele descobre as coisas.

— Ah, então é um mistério? — questionei, esfregando minhas mãos. — Isso é bem interessante. Sou muito grato a você por nos reunir. "O estudo adequado da humanidade é o homem", você sabe.

— Você deve estudá-lo, então — afirmou Stamford, enquanto acenava, despedindo-se. — Mas irá descobrir que ele é um problema difícil. Eu aposto que ele irá descobrir mais sobre você do que você sobre ele. Adeus.

— Adeus — respondi, e segui para meu hotel, bastante interessado em meu novo conhecido.

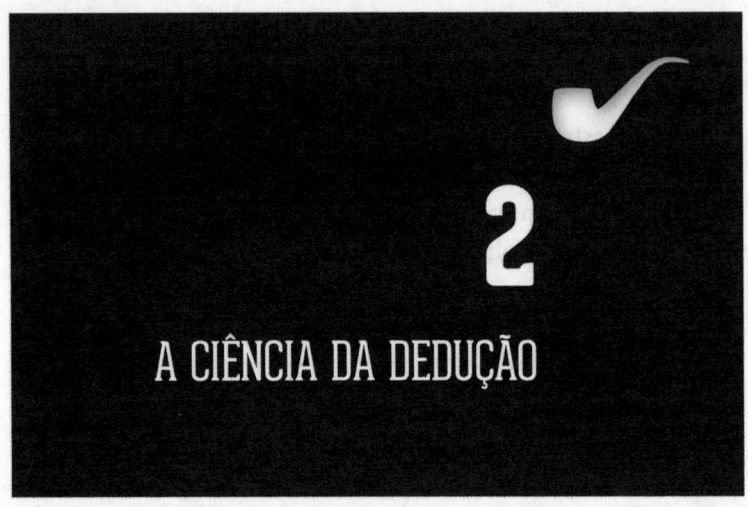

2
A CIÊNCIA DA DEDUÇÃO

NÓS NOS ENCONTRAMOS NO DIA SEGUINTE como ele havia combinado e inspecionamos os quartos no número 221B na Baker Street, sobre os quais ele tinha falado em nosso encontro. Tratava-se de dois quartos confortáveis e uma sala em comum grande e arejada, alegremente mobiliada, e iluminada por duas janelas amplas. Os aposentos eram tão agradáveis e as condições pareciam tão razoáveis quando acertadas entre nós, que o negócio foi fechado na hora e nos tornamos locatários. Naquela mesma noite, eu retirei minhas coisas do hotel, e na manhã seguinte Sherlock Holmes me seguiu, com diversas caixas e valises. Durante um ou dois dias ficamos ocupados desfazendo malas e organizando nossos bens conforme o que fosse melhor para nós. Feito isso, nós gradualmente começamos a nos estabelecer e nos acomodar em nosso novo espaço.

Holmes, certamente, não era um homem difícil de se conviver. Era quieto e seus hábitos eram regulares. Era raro vê-lo acordado após as 22h e invariavelmente já havia tomado café e saído antes que eu me levantasse de manhã. Às vezes, passava o dia no laboratório de química, às vezes nas salas de dissecção e, ocasionalmente, em longas caminhadas, que pareciam levá-lo até as regiões mais humildes da cidade. Nada superava sua energia quando ele estava com disposição para trabalhar; mas, vez ou outra, uma reação o acometia, e durante dias inteiros ele ficava deitado no sofá da sala de estar, mal falando uma palavra ou movendo um músculo ao longo do dia. Nessas ocasiões, notei uma expressão tão sonhadora e vaga em seus olhos, que eu teria suspeitado de que ele era viciado em algum narcótico caso a moderação e a higiene de toda a sua vida não proibissem tal pensamento.

Com o passar das semanas, meu interesse por ele e minha curiosidade para com seus objetivos de vida gradualmente se aprofundaram e aumentaram. Sua personalidade e aparência atraíam a atenção do observador mais casual. Ele tinha mais de 1,80 metro de altura e era tão magro que parecia consideravelmente mais alto. Seus olhos eram severos e penetrantes, a não ser durante aqueles intervalos de torpor que mencionei; e seu nariz fino, como o bico de um falcão, conferia à sua expressão um ar de vigilância e decisão. Seu queixo também tinha proeminência e os traços quadrados que marcam um homem de determinação. Suas mãos estavam sempre manchadas com tinta e produtos químicos e, ainda assim, ele possuía um toque extraordinariamente delicado, como eu tive a oportunidade de notar diversas vezes enquanto o observava manipulando seus frágeis instrumentos de trabalho.

O leitor pode me considerar uma pessoa intrometida incorrigível quando confesso o quanto esse homem despertou minha curiosidade e com que frequência me esforcei para quebrar a relutância que ele demonstrava em tudo o que dizia respeito a si mesmo. No entanto, antes de fazer algum julgamento, lembre-se de quão sem objetivo estava minha vida e como havia poucas coisas para atrair minha atenção. Minha saúde me impedia de me aventurar lá fora, a não ser que o clima estivesse excepcionalmente ameno, e eu não tinha amigos para me procurar e quebrar a monotonia de minha existência diária. Sob essas circunstâncias, eu me alegrava com o pequeno mistério que rodeava meu companheiro e passava grande parte do meu tempo empenhando-me para desvendá-lo.

Ele não estava estudando medicina. Ele mesmo, ao responder a uma pergunta, confirmou a opinião de Stamford sobre isso. Também não parecia ter feito as leituras que pudessem ajudá-lo a ter uma formação em ciência ou em qualquer outra área que pudesse abrir uma porta para o mundo do aprendizado. Ainda assim, seu zelo por certos estudos era notável e, dentro dos limites da excentricidade, seu conhecimento era tão pleno e exato que suas observações me surpreendiam bastante. Com certeza, nenhum homem iria trabalhar tanto ou obter informações tão precisas a não ser que tivesse um objetivo definido em vista. Leitores esporádicos são raramente notados pela exatidão de seu aprendizado. Nenhum homem ocupa tanto sua mente com questões pequenas a não ser que tenha razões muito boas para fazê-lo.

Sua ignorância era tão notável quanto seu conhecimento. Sobre literatura contemporânea, filosofia e política, ele parecia saber quase nada. Quando citei Thomas Carlyle, ele questionou da maneira mais ingênua quem era e o que havia feito. No entanto meu espanto atingiu seu ápice quando descobri acidentalmente que ele não conhecia a teoria de Copérnico e a composição do Sistema Solar. O fato de algum ser humano civilizado no século XIX não saber que a Terra viajava ao redor do Sol parecia algo tão extraordinário que eu mal podia imaginá-lo.

— Você parece espantado — disse ele, sorrindo com minha expressão de surpresa. — Agora que sei, devo fazer o meu melhor para esquecê-lo.

— Esquecer?

— Veja só — explicou. — Eu penso que o cérebro de um homem é como um pequeno sótão vazio e deve ser preenchido com os móveis que ele escolher. Um tolo guarda tudo o que encontra e, então, o conhecimento que poderia ser útil para ele fica do lado de fora ou, no máximo, misturado com um monte de outras coisas, e ele tem dificuldade de alcançá-lo. Agora, o homem habilidoso é, de fato, muito cuidadoso com o que guarda em seu cérebro-sótão.

Ele nunca terá nada além das ferramentas que podem ajudá-lo a realizar seu trabalho, mas, delas, ele possui uma ampla variedade, e tudo na mais perfeita ordem. É um erro pensar que aquele pequeno cômodo tem paredes elásticas e pode ser esticado a qualquer extensão. Acredite nisso e chegará o dia em que, para cada novo conhecimento adicionado, algo que você sabia antes é esquecido. Portanto é de extrema importância não ter fatos inúteis no lugar dos úteis.

— Mas é o Sistema Solar! — protestei.
— O que significa para mim? — interrompeu, impaciente. — Você diz que giramos ao redor do Sol. Se girássemos ao redor da Lua, não faria a mínima diferença para mim ou para o meu trabalho.

Eu estava prestes a perguntar a ele o que seria esse trabalho, mas algo em sua atitude me mostrou que a pergunta não seria bem-vinda. No entanto pensei a respeito de nossa breve conversa e me esforcei para fazer minhas deduções. Ele disse que não iria adquirir nenhum conhecimento que não estivesse relacionado ao seu interesse. Sendo assim, todo o conhecimento que possuía era útil para ele. Enumerei em minha própria mente todos os diversos pontos sobre os quais ele havia demonstrado ser excepcionalmente bem informado. Até peguei um lápis para anotá-los. Não conseguia parar de sorrir para o documento depois de preenchê-lo. Era assim:

SHERLOCK HOLMES — seus limites.
1. *Conhecimento de Literatura: nulo.*
2. *Filosofia: nulo.*
3. *Astronomia: nulo.*
4. *Política: débil.*
5. *Botânica: varia. Excelente em beladona, ópio e tóxicos em geral. Não sabe nada sobre a prática de jardinagem.*
6. *Geologia: prático, mas limitado. Sabe diferenciar com um olhar diferentes tipos de solo. Após caminhar, mostrou-me*

respingos em suas calças e me disse, por sua cor e consistência, de que parte de Londres eram.
7. *Química*: profundo.
8. *Anatomia*: preciso, mas não sistematizado.
9. *Literatura sensacionalista*[2]: imenso. Ele parece conhecer cada detalhe de cada um dos horrores cometidos neste século.
10. Toca bem violino.
11. É um habilidoso esgrimista, boxeador e espadachim.
12. Tem bom conhecimento prático da lei britânica.

Quando cheguei a este ponto da lista, eu a lancei ao fogo, por desespero.

— Se ao menos eu conseguisse descobrir o objetivo desse camarada ao reunir todas essas habilidades e conceber uma vocação que requer todos elas — falei para mim mesmo —, poderia desistir disso de uma vez.

Vejo que fiz referência à sua habilidade de tocar violino. Era notável, mas tão excêntrica quanto as suas outras capacidades. Eu sabia bem que ele conseguia tocar diversas peças, e peças difíceis, pois a meu pedido ele tocou *Lieder*, de Mendelssohn, e outros favoritos. Quando sozinho, entretanto, raramente tocava qualquer música ou tentava tocar qualquer melodia conhecida. Reclinado em sua poltrona, fechava os olhos e arranhava de modo descuidado o violino que estava jogado em seu colo. Às vezes, os acordes eram sonoros e melancólicos. Ocasionalmente, eram fantásticos e alegres. De modo claro, refletiam os pensamentos que o dominavam, mas se a música ajudava esses pensamentos ou o ato de tocar fosse apenas o resultado de um capricho ou fantasia, era mais do que eu podia determinar. Eu teria protestado contra esses solos

---

[2] Gênero literário que foi bastante popular na Inglaterra nas décadas de 1860 e 1870, com enredos que contêm assassinatos, adultérios, vilezas e envenenamentos. (N.E.)

exasperantes se ele normalmente não os encerrasse tocando uma sucessão de séries completas de minhas melodias como uma leve compensação pelo teste de minha paciência.

Durante a primeira semana, mais ou menos, não recebemos visitas, e comecei a pensar que meu colega era um homem tão solitário quanto eu. Depois, entretanto, descobri que ele tinha muitos conhecidos, e nas mais diferentes classes da sociedade. Havia um camarada um pouco amarelado, com cara de rato e olhos escuros, que foi apresentado a mim como Sr. Lestrade, e que foi até a nossa casa três ou quatro vezes em uma única semana. Certa manhã, uma jovem apareceu, vestida elegantemente, e ficou durante meia hora ou mais. Na mesma tarde recebemos um visitante grisalho, abatido, parecido com um mascate judeu, que parecia animado demais para mim, e que foi seguido de perto por uma senhora idosa desleixada. Em outra ocasião, um cavalheiro de cabelos brancos teve uma entrevista com meu colega; e em outra, um carregador de bagagens de uma estação de trem, com seu uniforme aveludado. Quando qualquer uma dessas pessoas desinteressantes aparecia, Sherlock Holmes implorava para que pudesse usar a sala de estar, e eu me retirava para meu quarto. Ele sempre se desculpava comigo por causar desse inconveniente.

— Eu preciso utilizar esta sala como meu escritório — disse —, e essas pessoas são meus clientes.

Novamente, tive a oportunidade de fazer uma pergunta franca, e mais uma vez minha delicadeza me impediu de forçar outro homem a confiar em mim. Naquele momento, imaginei que ele tivesse algum motivo forte para não mencionar isso, mas logo me fez abandonar a ideia ao tocar no assunto por sua iniciativa própria.

Foi no dia 4 de março, como tenho uma boa razão para lembrar, que me levantei um pouco mais cedo que o normal e vi que Sherlock Holmes ainda não tinha terminado seu café da manhã. A senhoria já estava tão acostumada aos meus hábitos tardios que meu lugar na mesa não havia sido posto, nem meu café preparado. Com a petulância irracional da raça humana, toquei a campainha e dei um rude aviso de que estava pronto. Então, peguei uma revista da mesa e tentei passar o tempo com ela, enquanto meu companheiro mastigava sua torrada em silêncio. Um dos artigos tinha uma marca de lápis na manchete e eu naturalmente comecei a analisá-lo.

Seu título, um pouco ambicioso, era *O livro da vida* e tentava demonstrar o quanto um homem observador poderia descobrir com uma análise precisa e sistemática de tudo o que aparecesse em seu caminho. Isso me deixou perplexo, como uma mistura de astúcia e absurdo. A argumentação era fechada e intensa, mas as conclusões me pareciam improváveis e exageradas. O autor alegava que, por uma expressão momentânea, a contração de um músculo ou o movimento de olho podia decifrar os pensamentos mais secretos de um homem. O engano, de acordo com ele, era impossível no caso de alguém treinado na observação e análise. Suas conclusões eram tão infalíveis quanto muitas proposições de Euclides. Seus resultados pareceriam tão surpreendentes que quando os leigos compreendessem como ele havia chegado até os resultados, aqueles também o considerariam um adivinho.

— A partir de uma gota de água — dizia o autor —, um homem lógico pode inferir a possibilidade de ser do Atlântico ou de Niágara sem nunca ter ouvido falar de um ou de outro. Então, toda vida é uma grande corrente, que tem sua natureza conhecida sempre que é revelado apenas um elo dela. Como todas as outras artes, a Ciência da Dedução e da Análise é uma que pode ser apreendida apenas por um estudo extenso e paciente, e a vida não é longa o bastante para permitir que qualquer mortal obtenha a mais alta perfeição nela. Antes de voltar para os aspectos morais e mentais da questão, que apresentam as maiores dificuldades, permita que o pesquisador domine os problemas mais elementares. Permita que ele, ao conhecer um companheiro mortal, aprenda, em um piscar de olhos, a distinguir a história do homem e o negócio ou a profissão à qual ele pertence. Por mais pueril que tal exercício possa ser, ele aperfeiçoa a capacidade de observação e ensina onde procurar e o que procurar. Ao observar as unhas de alguém, a manga de seu casaco, sua bota, os joelhos de sua calça, os calos de seu indicador e polegar, sua expressão, os punhos de sua camisa — por cada uma dessas coisas o chamado de um homem é claramente revelado. É quase inimaginável que todos esses fatores unidos possam falhar ao iluminar o observador competente.

— Que incrível tagarela! — gritei, batendo a revista sobre a mesa. — Nunca li tanta bobagem em minha vida.

— O que é? — perguntou Sherlock Holmes.

— Bem, este artigo! — falei, apontando para ele com minha colher enquanto sentava para tomar café. — Vejo que você o leu, já que fez marcações no texto. Não nego que foi bem escrito. Mas ele me irrita. Evidentemente, trata-se de um indolente, jogado em um sofá, que desenvolve todos esses simples paradoxos na reclusão de seu próprio estudo. Não é prático. Eu gostaria de vê-lo escrevendo em um vagão de terceira classe no trem, ao ser questionado para indicar as profissões de todos os seus companheiros viajantes. Eu apostaria mil a um contra ele.

— Você perderia seu dinheiro — Sherlock Holmes comentou, calmamente. — Quanto ao artigo, eu mesmo o escrevi.

— Você?

— Sim, tenho talento tanto para observação quanto para dedução. As teorias que expressei aí, e que para você parecem tão quiméricas, são realmente muito práticas. Tão práticas que eu dependo delas para o meu sustento.

— E como? — perguntei de forma involuntária.

— Bem, tenho meu próprio negócio. Suponho que sou o único no mundo. Eu ofereço consultoria de detetive, se você consegue entender o que é isso. Aqui em Londres temos muitos detetives do governo e também particulares. Quando esses companheiros estão com dificuldades, eles vêm me ver, e eu os coloco na direção certa. Apresentam para mim todas as evidências e, normalmente, consigo, com o meu conhecimento em história do crime, colocá--las em ordem. Há uma familiaridade muito forte entre os delitos, e se temos todos os detalhes de mil casos em mãos, é estranho não conseguir desvendar o milésimo primeiro. Lestrade é um detetive bastante conhecido. Ele estava em um beco sem saída em um caso de falsificação, e foi isso o que o trouxe até aqui.

— E essas outras pessoas?

— A maioria é enviada por agências de investigação particulares. Todos estão com problemas em algo e precisam de um pouco de esclarecimento. Eu ouço sua história, eles ouvem meus comentários, e então recebo meu pagamento.

— Então você quer dizer — comentei — que, sem sair de seu quarto, você consegue desvendar um nó que outros homens não conseguem, embora eles tenham visto cada detalhe por si mesmos?

— Basicamente. Tenho um tipo de intuição nesse sentido. Vez ou outra um caso acaba sendo um pouco mais complexo. Então preciso me apressar e ver as coisas com meus próprios olhos. Veja bem, eu tenho muitos conhecimentos especiais que aplico ao problema e que facilitam muito as coisas. Essas regras de dedução citadas no artigo que despertaram seu desprezo são inestimáveis no meu trabalho prático. A observação, para mim, é a segunda natureza. Você pareceu surpreso quando eu lhe disse, em nosso primeiro encontro, que você havia estado no Afeganistão.

— Sem dúvidas lhe contaram.

— Nada disso. Eu *sabia* que você havia estado no Afeganistão. Pelo hábito, o trem do raciocínio correu tão rapidamente pela minha mente, que cheguei a essa conclusão sem ter consciência dos passos intermediários. E os passos existem. O trem do raciocínio seguiu: "Aqui está um cavalheiro do tipo médico, mas com o ar de militar. Claramente, um médico do exército, então. Ele acabou de chegar dos trópicos, pois seu rosto está escurecido, e esse não é o tom natural de sua pele, pois seus pulsos estão claros. Ele enfrentou dificuldades e doença, como seu rosto visivelmente demonstra. Seu braço esquerdo foi ferido. Ele o mantém rígido de uma maneira que não é natural. Onde, nos trópicos, poderia um médico britânico do exército ter enfrentado tanta dificuldade e ferido seu braço? Claramente, no Afeganistão". Todo o pensamento não demorou nem um segundo. Então, comentei que você esteve no Afeganistão e você ficou atônito.

— É bem simples quando você explica — falei, sorrindo. — Você me lembra Dupin, personagem de Edgar Allen Poe. Eu não fazia ideia de que tais indivíduos existiam fora das histórias.

Sherlock Holmes levantou-se e acendeu seu cachimbo.

— Não há dúvidas de que você acha que está me elogiando ao me comparar a Dupin — observou. — Agora, em minha opinião, Dupin era um camarada muito inferior. Aquele truque dele, de interromper o pensamento de seus amigos com um comentário oportuno após quinze minutos de silêncio, é realmente muito exibicionista e superficial. Ele, sem dúvidas, possuía um gênio analítico, mas de forma nenhuma era um fenômeno como Poe parecia imaginar.

— Você já leu os trabalhos de Gaboriau? — perguntei. — Lecoq corresponde à sua ideia de detetive?

Sherlock Holmes suspirou ironicamente.

— Lecoq era um amador miserável — disse, com raiva em sua voz. — Ele tinha apenas uma característica a seu favor, e era sua energia. Esse livro me deixou doente, no bom sentido. A questão era como identificar um prisioneiro desconhecido. Eu poderia ter feito isso em 24 horas. Lecoq demorou cerca de seis meses. Ele pode ser transformado em um livro para detetives, ensinando-os a respeito do que não fazer.

Eu fiquei indignado ao ter dois personagens a quem admirava sendo tratados dessa maneira arrogante. Então caminhei até a janela e olhei para a rua movimentada.

— Esse camarada pode ser bastante esperto — disse a mim mesmo —, mas é, sem dúvidas, muito convencido.

— Não há crimes nem criminosos nesses dias — queixou-se. — De que vale ser inteligente em nossa profissão? Eu sei bem que disponho do necessário para tornar meu nome famoso. Nenhum homem vivo ou morto demonstrou a mesma quantidade de estudo e de talento natural para resoluções de crimes como eu. E qual é o resultado? Não há crimes para desvendar ou, no máximo, alguns vilões amadores, com um motivo tão óbvio que até um oficial da Scotland Yard pode identificar.

Eu ainda estava incomodado com seu estilo pretencioso de conversa. Pensei que seria melhor mudar de assunto.

— Imagino o que aquele companheiro está procurando — comentei, apontando para um indivíduo robusto, vestido modestamente, que caminhava devagar do outro lado da rua, olhando com ansiedade para os números. Ele tinha um envelope azul em suas mãos e era, evidentemente, o portador de uma mensagem.

— Você está se referindo ao sargento aposentado da Marinha — disse Sherlock Holmes.

"Ora!", pensei comigo mesmo. "Ele sabe que eu não posso verificar seu palpite."

O pensamento mal havia passado pela minha mente quando o homem a quem estávamos observando viu o número em nossa porta e correu rapidamente pela rua. Ouvimos uma batida alta, uma voz grave e passos pesados subindo a escada.

— Para o Sr. Sherlock Holmes — disse, ao entrar na sala e entregar a carta para meu amigo.

Essa era a oportunidade de acabar com sua presunção. Ele quase não pensou nisso quando deu aquele palpite aleatório.

— Posso perguntar, senhor — falei, com a voz branda —, qual é seu trabalho?

— Porteiro, senhor — disse ele, asperamente. — Meu uniforme está sendo costurado.

— E, antes, você era... — perguntei, lançando um olhar um pouco malicioso para meu companheiro.

— Um sargento, senhor, da Infantaria Real da Marinha. Sem resposta? Certo, senhor.

Ele bateu seus calcanhares, levantou sua mão em uma saudação e partiu.

3
O MISTÉRIO DE LAURISTON GARDEN

CONFESSO QUE FIQUEI SOBRESSALTADO diante dessa nova prova sobre a natureza prática das teorias de meu companheiro. Meu respeito por seus poderes de análise aumentou de maneira significativa. No entanto ainda restaram algumas suspeitas em minha mente, de que a coisa toda era um episódio combinado, planejado com a intenção de me deixar deslumbrado, embora estivesse além da minha compreensão qualquer motivo que ele pudesse ter para fazer isso. Quando olhei para ele, Holmes havia terminado de ler o bilhete e seus olhos tinham aquela expressão vaga e opaca que sinalizava uma abstração mental.

— Como você conseguiu deduzir isso? — perguntei.
— Deduzir o quê? — replicou de maneira petulante.
— Bem, que ele era um sargento aposentado da Marinha.
— Eu não tenho tempo para ninharias — respondeu bruscamente; então, com um sorriso, disse: — Perdoe minha grosseria. Você interrompeu minha linha de raciocínio, mas talvez tenha sido bom. Então você realmente não foi capaz de ver que aquele homem havia sido um sargento da Marinha?
— De fato, não.

— Era mais fácil saber do que explicar por que eu sabia. Se alguém pedisse para você provar que dois mais dois é igual a quatro, você poderia encontrar alguma dificuldade e ainda assim teria muita certeza do fato. Mesmo do outro lado da rua, eu consegui ver uma grande âncora azul tatuada na parte de trás da mão daquele senhor. Aquele sabor de mar. No entanto ele possuía um comportamento militar e costeletas laterais como os militares. Aí enxergamos a Marinha. Ele era um homem de certa importância e um certo ar de comando. Você deve ter observado a maneira como ele mantinha sua cabeça e balançava sua bengala. Seu rosto era de um homem firme, respeitável, de meia-idade: todos os fatos que me levaram a crer que ele havia sido um sargento.

— Maravilhoso! — comentei.

— Comum — disse Holmes, embora eu tenha pensado, por conta de sua expressão, que ele estava satisfeito por minha surpresa e admiração evidentes. — Eu acabei de dizer que não há criminosos. Parece que eu estava errado. Veja isso!

Ele jogou para mim o bilhete que o comissário havia levado.

— Nossa! — gritei, ao colocar meus olhos sobre ele. — Isso é terrível!

— Parece realmente ser algo um pouco fora do comum — comentou ele, calmamente. — Você se importaria de lê-lo para mim em voz alta?

Esta foi a carta que eu li para ele...

"Caro Sr. Sherlock Holmes,

Algo ruim aconteceu durante a noite no número 3, em Lauriston Gardens, ao lado da estrada de Brixton Roaf. Nosso oficial que fazia a ronda viu uma luz acesa lá por volta das duas da manhã e, como a casa estava vazia, suspeitou de que algo estava errado. Ele encontrou a porta aberta e, no quarto da frente, que não tinha mobília, viu o corpo de um cavalheiro, bem-vestido e com cartões em seu bolso com o nome de 'Enoch J. Drebber, Cleveland, Ohio, USA'. Não houve nenhum roubo, nem havia evidências de como ele tinha sido morto. Havia marcas de sangue no cômodo, mas nenhum ferimento em seu corpo. Não sabemos como ele chegou até a casa vazia; na verdade, todo o caso é um quebra-cabeça. Se você puder visitar a casa a qualquer momento antes do meio-dia, me encontrará lá. Eu deixarei tudo como estava até receber sua resposta. Se não puder vir, eu lhe darei mais detalhes e consideraria uma grande gentileza se você me favorecesse com sua opinião. Atenciosamente,

TOBIAS GREGSON."

— Gregson é o mais inteligente entre os oficiais da Scotland Yard — observou meu amigo. — Ele e Lestrade são os que se salvam em um grupo terrível. Ambos são rápidos e vigorosos, mas sem originalidade, de maneira surpreendente. Eles também têm suas facas apontadas um para o outro. São invejosos como alguns modelos profissionais. Esse caso será divertido se os dois estiverem nele.

Fiquei maravilhado com a calma com que ele se mexia.

— Certamente, não há tempo a perder — comentei. — Devo chamar um táxi?

— Não estou certo se devo ir. Sou o homem mais preguiçoso que já pisou na Terra; isto é, quando quero, pois posso ser muito ágil às vezes.

— Mas essa é a chance que você estava esperando.

— Meu amigo, o que importa para mim? Supondo que eu desvende tudo, você pode ter certeza de que Gregson, Lestrade e companhia irão ficar com todo o crédito. Isso acontece quando se é um personagem não oficial.

— Mas ele implora para que você o ajude.

— Sim. Ele sabe que sou superior a ele e assume isso para mim; porém ele preferiria cortar sua própria língua antes de falar para qualquer terceira pessoa. No entanto nós podemos ir para dar uma olhada. Posso deixar as coisas a meu favor. Se não houver nada mais, posso pelo menos dar boas risadas. Vamos!

Ele pegou seu sobretudo com pressa e correu de tal forma que demonstrou que a disposição havia superado a apatia.

— Pegue seu chapéu — disse.

— Você quer que eu vá?

— Sim, se você não tiver nada melhor para fazer.

Um minuto depois, estávamos nós dois em uma carruagem, dirigindo furiosamente pela Brixton Road.

Era uma manhã nublada, com neblina, e um véu pardo cobria o telhado das casas, parecendo um reflexo das ruas repletas de lama. Meu companheiro estava animado e discorria sobre os violinos de Cremona e a diferença entre um Stradivarius e um Amati. Quanto a mim, estava em silêncio, pois o clima nublado e o trabalho melancólico que iríamos realizar deprimiam meu espírito.

— Você não parece se importar muito com o caso que tem em mãos — falei, finalmente, interrompendo o tratado musical de Holmes.

— Não há dados ainda — respondeu. — É um erro primário teorizar antes de ter todas as evidências. Atrapalha o julgamento.

— Você logo terá as informações — rebati, apontando com meu dedo. — Esta é a Brixton Road, e aquela é a casa, se não me engano.

— É mesmo. Pare, cocheiro! Pare!

Nós ainda estávamos muito longe da casa, mas Holmes insistiu que descêssemos e terminássemos nossa jornada a pé.

O número 3 de Lauriston Gardens tinha uma aparência ameaçadora e de mau presságio. Era uma das quatro casas que ficavam um pouco distantes da rua, duas ocupadas e duas vazias. A última olhava para fora, com três níveis de janelas melancólicas, vazias e tristes, com exceção de alguns lugares onde os sinais de descaso haviam se desenvolvido como uma catarata sobre as turvas vidraças. Um pequeno jardim salpicado com algumas plantas doentes separava cada uma dessas casas da rua, e era atravessado por um caminho estreito, meio amarelado, feito, aparentemente, de uma mistura de barro e cascalho. O lugar todo estava muito úmido por causa da chuva que havia caído durante a noite. O jardim era demarcado por um muro de tijolos, de quase três metros, com uma grade de madeira no topo, e contra sua parede estava apoiado um robusto policial, cercado por um pequeno grupo de vadios que estendiam seu pescoço e apertavam os olhos na vã esperança de conseguir ver o que acontecia lá dentro.

Eu imaginei que Sherlock Holmes iria correr para dentro da casa e mergulhar no estudo do mistério. Nada parecia estar tão distante de sua intenção. Com um ar de indiferença que, sob as circunstâncias, pareceram, para mim, beirar o fingimento, ele passeava de cima a baixo pela calçada e olhava o chão, o céu, as outras casas e as cercas de maneira despreocupada. Ao terminar sua análise, ele foi vagarosamente pelo caminho, ou melhor, pela grama que o ladeava, mantendo seus olhos fixos no chão. Holmes parou duas vezes e, em uma delas, eu o vi sorrir e o ouvi emitir um ruído de exclamação ou de satisfação. Havia muitas marcas de pegadas sobre a terra molhada, mas como a polícia já havia andado para lá e para cá naquele solo, não consegui ver como meu companheiro esperava descobrir qualquer coisa ali. Ainda assim, eu já havia tido evidências tão extraordinárias da rapidez de suas habilidades perceptivas que não tinha dúvidas de que ele poderia ver muitas coisas que estavam escondidas para mim.

À porta da casa, fomos recebidos por um homem alto, branco, de cabelos louros, com um caderno em suas mãos, que correu em nossa direção e apertou a de meu companheiro com efusão.

— Você foi muito gentil em vir — disse ele. — Não mexemos em nada.

— Além daquilo — respondeu meu amigo, apontando para o caminho. — Se uma manada de búfalos tivesse passado por ali, não teria feito uma bagunça tão grande. Mas, sem dúvidas, você tirou suas próprias conclusões, Gregson, antes de permitir isso.

— Eu tinha tanto para fazer dentro da casa — respondeu o detetive, de forma evasiva. — Meu colega, o Sr. Lestrade, está aqui. Eu confiei nele para cuidar disso.

Holmes olhou para mim e ergueu suas sobrancelhas, com ironia.

— Com dois homens como você e Lestrade cuidando de tudo, não haverá muito para um terceiro homem descobrir — afirmou.

Gregson esfregou suas mãos, satisfeito consigo mesmo.

— Acho que fizemos tudo o que poderia ser feito — replicou. — No entanto é um caso estranho, e eu sabia do seu gosto por coisas assim.

— Você veio para cá de táxi? — perguntou Sherlock Holmes.

— Não, senhor.

— Nem Lestrade?

— Não, senhor.

— Então vamos olhar o cômodo.

Com tal observação inconsequente, ele entrou na casa, seguido por Gregson, com uma expressão de espanto.

Uma passagem curta, aberta e empoeirada levava à cozinha e aos escritórios. Duas portas se abriam para a esquerda e para a direita. Uma delas claramente estava fechada havia semanas. A outra pertencia à sala de jantar, o cômodo onde o mistério havia ocorrido. Holmes entrou e eu o segui, com aquele sentimento silencioso que a presença da morte inspira.

Era um cômodo amplo e quadrado que parecia ainda maior pela ausência de móveis. Um papel de parede resplandecente e vulgar enfeitava as paredes, mas estava manchado em alguns lugares com mofo e, em outros pontos, faixas largas do papel haviam descolado e estavam penduradas, expondo o gesso amarelo por baixo. Do lado oposto à porta ficava uma pomposa lareira, cercada por uma cornija feita de um material que imitava mármore. No canto da cornija havia o resto de uma vela vermelha de cera. A janela solitária estava tão suja, que a luz era nebulosa e incerta, conferindo um tom cinza pálido a tudo, o que era intensificado pela grossa camada de pó que cobria toda a casa.

Eu observei todos esses detalhes depois. Naquele momento, minha atenção estava centrada na figura imóvel e solitária que estava esticada sobre as tábuas do piso, com olhar vazio, sem vista, encarando o teto descolorido. Era um homem de 43 ou 44 anos, de tamanho médio, ombros largos, cabelos negros encaracolados e barba curta e áspera. Ele vestia um casaco grosso e um colete, calça clara e colarinho, e punhos impecáveis. Uma cartola, bem cuidada, foi colocada no chão ao lado dele. Suas mãos estavam fechadas e seus braços, abertos, enquanto seus membros inferiores estavam entrelaçados, como se sua luta contra morte houvesse sido dolorosa. Em seu rosto rígido havia uma expressão de terror e, como parecia para mim, de ódio, como nunca vi em expressões humanas. Aquela contorção maligna e terrível, combinada à testa baixa, ao nariz grosso e à mandíbula alongada, davam ao morto uma aparência singularmente simiesca e semelhante a um macaco, aumentada por sua postura retorcida e não natural. Eu já havia visto a morte em muitas formas, mas ela nunca se apresentara a mim com um aspecto tão medonho quanto naquela casa escura e imunda, que dava para uma das principais vias da periferia de Londres.

Lestrade, mais esguio e parecido com um furão do que nunca, estava de pé na entrada e cumprimentou meu companheiro e eu.

— Este caso vai provocar uma agitação, senhor — comentou. — Supera qualquer outra coisa que eu já tenha visto, e não sou covarde.

— Não há pistas? — perguntou Gregson.

— Nenhuma — comentou Lestrade.

Sherlock Holmes aproximou-se do corpo e, ajoelhando-se, examinou-o atentamente.

— Você tem certeza de que não há ferimentos? — indagou ele, apontando para diversas gotas e respingos de sangue por todos os lados.

— Positivo! — confirmaram os dois detetives.

— Então, é claro, esse sangue pertence a um segundo indivíduo. Talvez ao assassino, se é que houve assassinato. Isso me lembra das circunstâncias da morte de Van Jansen, em Utrecht, em 34. Você se lembra do caso, Gregson?

— Não, senhor.
— Pesquise. Você realmente deveria fazer isso. Não há nada de novo. Tudo já foi feito antes.

Enquanto ele falava, seus dedos ágeis voavam para lá, para cá e para todos os lugares, sentindo, pressionando, desabotoando e examinando, enquanto seus olhos demonstravam a mesma expressão distante que eu já havia observado antes. Sua análise foi tão rápida que dificilmente alguém teria adivinhado a minúcia com a qual foi conduzida. Por fim, ele cheirou os lábios do cadáver e então olhou para a sola de suas botas de couro.

— Ninguém mexeu nele? — perguntou.
— Não mais que o necessário para a investigação.
— Vocês podem levá-lo para o necrotério agora — afirmou. — Não há mais nada a ser analisado.

Gregson tinha uma maca e quatro homens a postos. Quando os chamou, eles entraram na sala e o estranho foi erguido e levado para fora. Quando o levantaram, um anel tilintou e rolou pelo chão. Lestrade o pegou e olhou para ele com perplexidade.

— Uma mulher esteve aqui — gritou. — É uma aliança de casamento de mulher.

Ele a mostrou, enquanto falava, na palma de sua mão. Todos nos reunimos ao redor dele para olhar. Não havia dúvidas de que aquela argola de puro ouro já havia enfeitado o dedo de uma noiva.

— Isso complica tudo — disse Gregson. — E bem sabemos que elas já estavam complicadas o bastante antes.

— Você tem certeza de que isso não as simplifica? — observou Holmes. — Não há nada a ser descoberto apenas olhando para ele. O que você encontrou nos bolsos dele?

— Está tudo aqui — falou Gregson, apontando para uma confusão de objetos sobre um dos degraus inferiores das escadas. — Um relógio de ouro, n. 97163, de Barraud, de Londres. Pulseira Gold Albert, muito pesada e sólida. Um anel de ouro, com um símbolo maçônico. Um broche de ouro, uma cabeça de buldogue, com rubis nos olhos. Um estojo de cartões de couro russo, com cartões de

Enoch J. Drebber, de Cleveland, correspondendo às iniciais E.J.D. no linho. Nenhuma bolsa, mas com dinheiro no total de sete libras e treze xelins. Uma edição de bolso do *Decameron*, de Boccaccio, com o nome de Joseph Stangerson na primeira folha em branco do livro. E duas cartas, uma endereçada a E.J. Drebber e outra a Joseph Stangerson.

— Em qual endereço?

— American Exchange, em Strand, para serem deixadas lá até serem solicitadas. Ambas são da Companhia de Navios a Vapor Guion e referem-se à saída de seus barcos de Liverpool. Está claro que este infeliz homem estava prestes a retornar a Nova York.

— Você fez alguma investigação sobre esse homem chamado Stangerson?

— Eu a fiz imediatamente, senhor — disse Gregson. — Enviei anúncios para todos os jornais, e um dos meus homens foi ao American Exchange, mas ainda não retornou.

— Você enviou para Cleveland?

— Enviamos um telegrama esta manhã.

— Como você conduziu as investigações?

— Simplesmente detalhamos as circunstâncias e dissemos que ficaríamos felizes com qualquer informação que pudesse nos ajudar.

— Você não pediu detalhes sobre nenhum ponto que lhe parecesse crucial?

— Eu perguntei sobre Stangerson.

— E mais nada? Não há nenhuma circunstância da qual todo este caso pareça depender? Você não mandará telegramas novamente?

— Eu já disse tudo o que tinha a dizer — falou Gregson, ofendido.

Sherlock Holmes riu para si mesmo e pareceu estar prestes a fazer alguma observação, quando Lestrade, que estava na sala da frente enquanto conversávamos na entrada, reapareceu em cena, esfregando suas mãos de forma convencida e satisfeita.

— Senhor Gregson — falou ele —, acabei de fazer uma descoberta da mais alta importância que teria sido negligenciada se eu não tivesse examinado cuidadosamente as paredes.

Os olhos do pequeno homem brilhavam enquanto falava, e ele estava evidentemente em um estado de exultação reprimida por ter marcado um ponto contra seu colega.

— Venha cá — disse ele, voltando apressado para a sala, que parecia mais clara desde a remoção de seu sinistro residente. — Agora, fique aí! Ele acendeu um fósforo em sua bota e segurou-o contra a parede.

— Olhe para isso! — disse, triunfante.

Eu observei que não havia papel em algumas partes. Nesse canto específico da sala, um pedaço grande havia sido arrancado, revelando um quadrado amarelo de reboco grosso. Nesse espaço, havia uma única palavra escrita, escrita com sangue:

RACHE.

— O que você acha disso? — indagou o detetive, com o ar de um artista fazendo seu show.

— Isso foi negligenciado porque estava no canto mais escuro da sala, e ninguém pensou em olhar lá. O assassino escreveu isso com o próprio sangue. Veja esta sujeira onde pingou pela parede! De qualquer forma, isso liquida a ideia de suicídio. Por que aquele canto foi o escolhido para escrever? Eu digo a vocês. Veja aquela vela na lareira. Estava acesa no momento e, estando acesa, aquele canto seria o mais iluminado, e não o mais escuro, da parede.

— E o que isso significa, agora que o encontrou? — perguntou Gregson, com ar depreciativo.

— O que significa? Ora, isso significa que o autor iria escrever o nome feminino Rachel, mas foi interrompido antes que ele ou ela tivesse tempo para terminar. Grave minhas palavras: quando este caso for esclarecido, você descobrirá que uma mulher chamada Rachel tinha algo a ver com isso. Tudo bem se quiser rir, Sr. Sherlock Holmes. Você pode ser muito esperto e inteligente, mas, afinal, o cão de caça mais velho é o melhor.

— Desculpe-me! — disse meu companheiro, que havia perturbado o temperamento do pequeno homem ao explodir em gargalhadas. — Você, certamente, tem o crédito de ser o primeiro de nós a descobrir isso e, como você diz, tudo indica que foi escrito pelo outro participante do mistério da noite passada. Ainda não tive tempo de examinar esta sala, mas, com sua permissão, farei isso agora.

Enquanto falava, ele retirou uma fita métrica e uma grande lupa do bolso. Com esses dois instrumentos, caminhou silenciosamente pela sala, às vezes parando, às vezes ajoelhando-se, e uma vez deitando sobre seu rosto. Estava tão concentrado em sua atividade que parecia ter se esquecido de nossa presença, pois falava consigo mesmo o tempo todo, em uma sequência de exclamações, gemidos, assobios e pequenos gritos sugestivos de encorajamento e de esperança. Enquanto eu o observava, fui irresistivelmente lembrado de um cão de caça bem treinado de sangue puro enquanto se arremessa para trás e para frente em sua descoberta, ganindo em ansiedade, até se deparar com o odor procurado. Durante vinte minutos ou mais, ele continuou sua pesquisa, medindo, com muito cuidado, a distância entre marcas que eram totalmente invisíveis para mim, e ocasionalmente aplicando sua fita nas paredes de maneira igualmente incompreensível. Em um certo ponto, ele recolheu meticulosamente uma pequena amostra de pó cinza do chão e guardou-a em um envelope. Por fim, examinou a palavra na parede com sua lupa, analisando cada letra com a mais precisa minúcia. Feito isso, pareceu estar satisfeito, pois colocou novamente a fita e a lupa em seu bolso.

— Eles dizem que a genialidade é uma capacidade infinita de tolerar a dor — comentou ele com um sorriso. — É uma definição muito ruim, mas se aplica ao trabalho de detetive.

Gregson e Lestrade assistiram às manobras de seu companheiro amador com curiosidade considerável e algum desprezo. Eles, evidentemente, fracassaram em apreciar o fato, que eu havia começado a perceber, de que as menores ações de Sherlock Holmes eram todas direcionadas para algum objetivo definido e prático.

— O que você acha, senhor? — perguntaram ambos.

— Eu iria roubar de vocês o crédito do caso se eu os ajudasse — observou meu amigo. — Vocês estão indo tão bem agora que seria uma pena se alguém interferisse.

Havia muito sarcasmo em sua voz enquanto falava.

— Se puderem me dizer como vão as suas investigações — continuou ele —, ficarei feliz em dar toda ajuda que puder. Enquanto isso, gostaria de falar com o policial que encontrou o corpo. Vocês podem me dar seu nome e endereço?

Lestrade olhou para seu caderno.

— John Rance — disse ele. — Ele está de folga agora. Você o encontrará no número 46, Audley Court, Kennington Park Gate.

Holmes anotou o endereço.

— Venha, doutor — disse ele. — Precisamos procurá-lo. Vou lhe contar algo que pode ajudá-los no caso — continuou, voltando-se para os dois detetives. — Houve um assassinato, e o assassino era um homem. Ele media mais de um metro e oitenta de altura, estava no auge da vida, seus pés eram pequenos para sua estatura, usava botas grossas e quadradas e fumava um charuto Trichinopoly. Ele chegou aqui com sua vítima em uma carruagem de quatro rodas, que foi puxada por um cavalo com três ferraduras velhas e uma nova em sua pata dianteira. Com toda a certeza, o assassino tinha o rosto corado e as unhas de sua mão direita eram notavelmente longas. Essas são apenas algumas evidências, mas podem ajudá-los.

Lestrade e Gregson se entreolharam com um sorriso incrédulo.

— Se esse homem foi assassinado, como aconteceu? — perguntou o primeiro.

— Veneno — alegou Sherlock Holmes de forma direta, e partiu. — Outra coisa, Lestrade — acrescentou, voltando-se na porta. — "*Rache*" é a palavra alemã para "vingança", então não perca seu tempo procurando a Srta. Rachel.

Com isso, Holmes se afastou, deixando para trás os dois rivais de boca aberta.

4

O QUE JOHN RANCE TINHA A DIZER

ERAM 13H QUANDO SAÍMOS do número 3 de Lauriston Gardens. Sherlock Holmes levou-me ao telégrafo mais próximo, de onde enviou um longo telegrama. Ele, então, chamou uma carruagem e pediu que o cocheiro nos levasse ao endereço que Lestrade nos dera.

— Não há nada como a evidência em primeira mão — observou ele. — Na verdade, minha mente está totalmente resolvida quanto ao caso, mas mesmo assim podemos ouvir tudo o que deve ser ouvido.

— Você me deixa maravilhado, Holmes — disse. — Certamente, você não está tão certo quanto finge estar sobre todos os detalhes que deu.

— Não há espaço para um erro — respondeu ele. — A primeira coisa que observei ao chegar lá foi que uma carruagem havia feito dois sulcos com suas rodas perto do meio-fio. Agora, até a noite passada, não havia chovido durante uma semana, então, para aquelas rodas deixarem uma marca tão profunda, deveriam ter estado lá durante a noite. Havia também as marcas dos cascos do cavalo, sendo que uma delas estava bem mais nítida que as outras três, mostrando que tal ferradura era nova. Como a carruagem esteve lá depois de a chuva ter começado, e não apareceu lá em nenhum momento durante a manhã, tenho a palavra de Gregson quanto a isso, acontece que ela deve ter estado lá durante a noite e, portanto, levou aqueles dois indivíduos até a casa.

— Isso parece bem simples — falei. — Mas e sobre a altura do outro homem?

— Bem, a altura de um homem, em nove a cada dez casos, pode ser determinada a partir do comprimento de seu passo. É um cálculo bem simples, embora não haja motivo para que eu o aborreça com desenhos. Eu vi o passo desse indivíduo tanto no barro do lado de fora quanto na poeira lá dentro. Então, tive uma oportunidade de checar meus cálculos. Quando um homem escreve em uma parede, seu instinto o leva a escrever no nível de sua própria visão. Aquela escrita estava a pouco menos de dois metros do chão. Foi muito fácil.

— E a idade dele? — perguntei.

— Bem, se um homem consegue pular cerca de um metro e meio sem o menor esforço, não pode estar no fim de sua vida. Essa era a largura de uma poça no caminho do jardim que ele claramente havia atravessado. O "Botas-de-couro envernizado" deu a volta, e o "Dedos-quadrados" pulou sobre ela. Não há nenhum mistério quanto a isso. Estou simplesmente aplicando à vida cotidiana alguns dos princípios de observação e dedução que defendi naquele artigo. Há mais alguma coisa que deixa você intrigado?

— As unhas e o charuto — sugeri.

— A escrita na parede foi feita com o dedo indicador de um homem, mergulhado em sangue. Minha lupa permitiu que eu observasse que o gesso havia sido levemente arranhado ao fazê-lo, o que não teria acontecido se a unha do homem estivesse aparada. Eu recolhi algumas cinzas espalhadas pelo chão. Eram de cor escura e granulosa; tal cinza só é originária de um Trichinopoly. Realizei um estudo especial sobre cinzas de charuto; na verdade, escrevi uma monografia sobre o assunto. Eu me gabo de poder distinguir só de olhar a cinza de qualquer marca conhecida, seja de charuto ou de tabaco. É justamente em tais detalhes que o detetive habilidoso difere daquele do tipo de Gregson e Lestrade.

— E o rosto corado? — perguntei.

— Ah, esse tiro foi mais ousado, embora eu não tivesse dúvidas de que estava certo. Você não deve me perguntar isso no estado atual do caso.

Passei a mão por minha testa.

— Minha cabeça está um turbilhão — observei. — Quanto mais se pensa nisso, mais misterioso fica. Como esses dois homens, se é que eram dois homens, entraram em uma casa vazia? O que aconteceu com o cocheiro que os levou? Como um homem poderia obrigar outro a tomar veneno? De onde veio o sangue? Qual era o objetivo do assassino, já que não houve roubo? Como a aliança da mulher apareceu ali? Acima de tudo, por que o segundo homem escreveria a palavra alemã "*rache*" antes de ir embora? Confesso que não há uma maneira possível de unir todos esses fatos.

Meu companheiro sorriu com aprovação.

— Você resume as dificuldades da situação bem e de forma sucinta — disse ele. — Há muito que ainda está obscuro, embora eu tenha já me decidido sobre os principais fatos. Quanto à descoberta do pobre Lestrade, era simplesmente um subterfúgio destinado a colocar a polícia no caminho errado, sugerindo o socialismo e as sociedades secretas. Não foi escrito por um alemão. A letra A, se você notou, foi feita seguindo um pouco a maneira alemã. Agora, um verdadeiro alemão invariavelmente utiliza as letras latinas, então podemos dizer com segurança que aquilo não foi escrito por um alemão, mas por um imitador desajeitado que exagerou em seu papel. Era, simplesmente, um truque para desviar a investigação para um rumo equivocado. Não vou lhe contar muito mais sobre o caso, doutor. Você sabe que um feiticeiro não recebe crédito quando do explica seu truque, e se eu revelar muito sobre meu método de trabalho, você chegará à conclusão de que sou um indivíduo bastante comum, afinal.

— Eu nunca farei isso — respondi. — Você aproximou tanto a investigação de uma ciência exata como jamais será feito neste mundo.

Meu companheiro ruborizou-se de contentamento com minhas palavras e com o modo sincero com que as pronunciei. Eu já havia observado que ele era tão sensível ao elogio de sua arte quanto qualquer garota poderia ser sobre sua beleza.

— Eu vou lhe contar outra coisa — disse ele. — O "Botas-de--couro" e o "Dedos-quadrados" chegaram na mesma carruagem e eles andaram juntos pelo caminho da forma mais amigável possível, provavelmente, de braços dados. Quando entraram, andaram de um lado para o outro da sala, ou melhor, o "Botas-de-couro" ficou parado enquanto o "Dedos-quadrados" andava para cima e para baixo. Eu pude ler tudo isso na poeira; e pude perceber que, enquanto caminhava, ele ficava cada vez mais animado. Isso é demonstrado pelo aumento do comprimento de suas passadas. Ele falava o tempo todo e desenvolvia, sem dúvida, uma fúria. Então a tragédia aconteceu. Já lhe contei tudo o que sei, pois o resto é mera suposição e conjectura. No entanto temos uma boa base de trabalho para começar. Devemos nos apressar, pois quero ir ao concerto de Halle para ouvir Norman Neruda esta tarde.

Essa conversa ocorreu enquanto nossa carruagem percorria seu caminho por uma longa sucessão de ruas sujas e travessas sombrias. Na pior delas, nosso cocheiro subitamente parou.

— Aquele é o Audley Court — disse ele, apontando para uma fenda estreita na linha de tijolos sem cor. — Vocês me encontrarão aqui quando voltarem.

Audley Court não era um local atraente. A passagem estreita nos levou a um espaço quadrado com bandeiras e rodeado por moradias sórdidas. Abrimos caminho entre grupos de crianças sujas e através de fileiras de roupas desbotadas até chegarmos ao número 46, cuja porta estava decorada com um pequeno pedaço de latão no qual o nome "Rance" estava gravado. Após algumas perguntas, descobrimos que o policial estava na cama e fomos levados a uma pequena sala de espera para aguardar sua chegada.

Ele apareceu logo, aparentando estar um pouco irritado por ser perturbado em seu sono.

— Dei meu depoimento na polícia — disse ele.

Holmes tirou uma moeda de ouro do bolso e começou a brincar com ela, pensativo.

— Nós pensamos que gostaríamos de ouvir tudo de seus próprios lábios — afirmou ele.

— Eu ficarei muito feliz em lhe dizer tudo o que puder — respondeu o policial, com os olhos no pequeno disco de ouro.

— Apenas nos conte com suas palavras como tudo ocorreu.

Rance sentou-se no sofá de crina de cavalo e franziu as sobrancelhas, como se estivesse determinado a não omitir nada em sua narrativa.

— Eu vou contar tudo desde o início — disse ele. — Meu expediente é das dez da noite às seis da manhã. Às onze horas houve uma briga no White Hart, mas, fora isso, tudo estava tranquilo durante a ronda. À uma começou a chover, e eu encontrei Harry Murcher, que faz a ronda em Holland Grove, e ficamos juntos na esquina da Henrietta Street, conversando. Depois, talvez umas duas da manhã ou mais tarde, pensei em dar uma olhada e ver se tudo estava bem na estrada Brixton. Estava tudo sujo e solitário. Não encontrei ninguém em todo o caminho, embora um táxi ou dois tenham passado por mim. Eu estava passeando, pensando, cá entre nós, como seria agradável ter uma dose de gim quente, quando, de repente, o brilho de uma luz chamou minha atenção na janela daquela mesma casa. Eu sabia que as duas casas em Lauriston Gardens estavam vazias por conta do proprietário, que não quer verificar os fossos, embora o último inquilino de uma delas tenha morrido de febre tifoide. Portanto fiquei muito confuso ao ver uma luz na janela e suspeitei que algo estava errado. Quando cheguei à porta...

— Você parou e, então, caminhou de volta para o portão do jardim — interrompeu meu companheiro. — Por que você fez isso?

Rance deu um salto violento e olhou para Sherlock Holmes com uma expressão de imensa surpresa.

— Ora, isso é verdade, senhor — disse ele. — Mas como você soube disso, não faço ideia. Vejam, quando cheguei à porta, estava tudo tão imóvel e solitário que achei que não faria mal ter alguém comigo. Não temo nada deste lado da sepultura, mas achei que talvez fosse aquele que morreu de febre tifoide inspecionando os drenos que o mataram. Esse pensamento me amedrontou, e eu voltei para o portão para ver se conseguia enxergar a lanterna de Murcher, porém não havia sinal dele nem de mais ninguém.

— Não havia ninguém na rua?

— Nem uma alma sequer, senhor, nem mesmo um cão. Então eu me recompus, voltei e abri a porta. Tudo estava quieto por dentro, então entrei no cômodo onde a luz estava queimando. Havia uma vela tremulando na lareira — uma de cera vermelha — e pela sua luz vi...

— Sim, eu sei tudo o que viu. Você andou pela sala diversas vezes, se ajoelhou ao lado do corpo, caminhou e tentou abrir a porta da cozinha, e então...

John Rance ficou de pé com um rosto assustado e desconfiança em seus olhos. — Onde você estava escondido para ver tudo isso? — gritou. — Parece-me que você sabe um pouco mais do que deveria.

Holmes riu e jogou seu cartão na mesa para o policial.

— Não me prenda por assassinato — disse ele. — Sou um dos cães de caça, e não o lobo. O Sr. Gregson ou o Sr. Lestrade responderão por isso. Mas continue. O que você fez depois?

Rance voltou a sentar-se, sem, no entanto, perder sua expressão de surpresa.

— Voltei para o portão e soei meu apito. Isso atraiu Murcher e mais dois para o local.

— A rua estava vazia nesse momento?

— Bem, sim, pelo menos nos lugares onde qualquer pessoa de bem pode estar.

— O que você quer dizer?

A expressão do policial se alargou em um sorriso.

— Já vi muitos homens bêbados em meu turno — disse ele —, mas nunca alguém tão bêbado como aquele sujeito. Ele estava no portão quando eu saí, inclinando-se contra as grades e cantando a plenos pulmões sobre a nova bandeira de Columbine, ou algo assim. Ele não conseguia ficar em pé, quanto mais ajudar.

— Que tipo de homem era? — questionou Sherlock Holmes.

John Rance pareceu um tanto irritado com essa divagação.

— Ele era um tipo de homem bêbado e incomum — disse. — Teria ido para a delegacia se não estivéssemos tão ocupados.

— O rosto dele, suas roupas, você não notou? — interrompeu Holmes, impaciente.

— Eu deveria tê-las notado, visto que eu tive que levantá-lo, eu e Murcher, entre nós. Ele era um camarada alto, com um rosto vermelho, a parte inferior muito bem agasalha em...

— Isso já vai servir — afirmou Holmes. — O que aconteceu com ele?

— Nós já tínhamos muito a fazer para ficar atrás dele — o policial respondeu, com voz ofendida. — Eu aposto que ele encontrou o caminho para casa.

— Como ele estava vestido?

— Um sobretudo marrom.

— Ele tinha um chicote na mão?

— Um chicote? Não.

— Ele deve ter deixado para trás — murmurou meu companheiro. — Você, por acaso, não viu ou ouviu uma carruagem depois disso?

— Não.

— Aqui está uma moeda para você — disse meu companheiro, levantando-se e pegando o chapéu. — Receio, Rance, que você nunca subirá de cargo na força. Essa sua cabeça deve ser para uso e para enfeite. Você pode ter ganhado o galão de seu sargento na noite passada. O homem que você segurou em suas mãos é o homem que possui a chave desse mistério e a quem estamos buscando. Não adianta discutir sobre isso agora; eu lhe digo que é assim. Venha, doutor.

Fomos juntos em direção à carruagem, deixando nosso informante incrédulo, mas obviamente desconfortável.

— Aquele idiota precipitado — disse Holmes, amargurado, enquanto voltávamos para nosso alojamento. — Só de pensar nele, com essa sorte incomparável, sem tirar proveito disso.

— Ainda estou no escuro. É verdade que a descrição desse homem coincide com a sua ideia sobre a segunda pessoa envolvida nesse mistério. Mas por que ele voltaria para a casa depois de deixá-la? Esse não é o comportamento de criminosos.

— O anel, homem! O anel. Foi por isso que ele voltou. Se não tivermos outra maneira de pegá-lo, podemos sempre preparar a isca com o anel. Eu preciso consegui-lo, doutor. Aposto dois contra um que vou pegá-lo. Eu devo lhe agradecer por tudo isso. Eu poderia não ter ido se não fosse por você, e assim teria perdido o melhor estudo que já encontrei: um estudo em vermelho, hein? Por que não usar um pequeno jargão de arte? Há o fio escarlate do assassinato percorrendo a meada incolor da vida, e nosso dever é desvendá-lo, isolá-lo e expor cada centímetro dele. E agora, almoço, e depois para Norman Neruda. Seu ataque e seu movimento de arco são esplêndidos. O que é aquela de Chopin, que ela toca tão magnificamente: Trá-lá-lá-lira-lira-lai.

Recostando-se no táxi, aquele cão de caça amador se afastou, cantando como uma cotovia enquanto eu meditava sobre as diversas particularidades da mente humana.

5

NOSSO ANÚNCIO ATRAI UM VISITANTE

NOSSO ESFORÇO DURANTE A MANHÃ foi demais para minha frágil saúde, e fiquei esgotado à tarde. Depois de Holmes sair para o concerto, deitei-me no sofá e tentei dormir por algumas horas. Foi uma tentativa inútil. Minha mente estava agitada demais com tudo o que havia acontecido e com as mais estranhas fantasias e suposições atreladas aos eventos. Sempre que fechava meus olhos, via diante de mim o rosto distorcido do homem assassinado, parecendo um babuíno. A impressão que aquele rosto havia causado em mim era tão sinistra que eu achava difícil sentir qualquer coisa além de gratidão por quem o havia retirado deste mundo. Se alguma vez as feições humanas anunciaram o mais maligno tipo de vício, eram, certamente, as de Enoch J. Drebber, de Cleveland. Ainda assim, eu reconhecia que a justiça deveria ser feita e que a depravação da vítima não era uma justificativa para um crime aos olhos da lei.

Quanto mais eu pensava, mais extraordinária a hipótese do meu companheiro, de que o homem havia sido envenenado, parecia. Lembrei-me de como ele havia cheirado os lábios da vítima e não tive dúvidas de que ele havia detectado algo que despertara a ideia. Então, novamente, se não fosse veneno, o que teria causado a morte daquele homem, já que não havia ferimentos nem sinais de estrangulamento? Mas, por outro lado, de quem era o sangue denso sobre o chão? Não havia sinais de luta, nem a vítima possuía nenhuma arma com a qual ela pudesse ter ferido seu oponente. Enquanto todas essas questões não fossem resolvidas, senti que dormir não seria uma tarefa fácil, tanto para Holmes quanto para mim. Sua postura silenciosa e autoconfiante me convenceu de que ele já havia formado uma teoria que explicava todos os fatos, embora eu não pudesse, nem por um instante, imaginar o que seria.

Ele retornou muito tarde — tão tarde que eu sabia que o concerto não poderia tê-lo segurado todo aquele tempo. O jantar estava na mesa antes de ele aparecer.

— Foi magnífico — anunciou, enquanto se sentava. — Você se lembra do que Darwin disse sobre música? Ele afirma que o poder de produzi-la e de apreciá-la existia entre a raça humana muito antes de o poder da fala ser alcançado. Talvez seja por isso que somos tão sutilmente influenciados por ela. Em nossa alma há vagas lembranças daqueles enevoados séculos em que o mundo estava vivendo sua infância.

— Essa é uma ideia bastante ampla — observei.

— As ideias de um indivíduo devem ser tão amplas quanto a natureza, se procuram interpretar a natureza — respondeu. — Qual é o problema? Você não parece estar bem. Esse caso da Brixton Road o aborreceu?

— Para dizer a verdade, sim — afirmei. — Eu deveria estar mais endurecido após minhas experiências no Afeganistão. Vi meus próprios companheiros serem despedaçados em Maiwand e não perdi o controle.

— Eu entendo. Há um mistério sobre isso que estimula a imaginação; onde não há imaginação, não há terror. Você já viu o jornal da noite?

— Não.

— Ele traz um bom relato sobre o caso. Não menciona o fato de que, quando o homem foi erguido, a aliança de uma mulher caiu no chão. E é melhor que não o faça.

— Por quê?

— Olhe para este anúncio — falou. — Eu o enviei esta manhã para todos os jornais, imediatamente após o caso.

Ele jogou o jornal em minha direção e eu olhei para o lugar indicado. Era o primeiro anúncio na seção de "Achados". Lia-se: "Em Brixton Road, hoje de manhã, uma aliança de ouro puro foi encontrada no caminho entre a taverna White Hart e o bosque Holland. Procure o Dr. Watson, 221B, Baker Street, entre oito e nove da noite".

— Desculpe por ter usado seu nome — disse ele. — Se eu usasse o meu, alguns desses tolos o reconheceriam e iriam querer se intrometer no caso.

— Tudo bem — respondi. — Mas, supondo que alguém me procure, não estou com a aliança.

— Ah, sim, você está — falou, entregando-me um anel. — Isso vai servir muito bem. É quase uma réplica.

— E quem você espera que responda a este anúncio?

— Bem, o homem de casaco marrom. Nosso amigo corado com os dedos do pé quadrados. Se ele não vier pessoalmente, enviará um cúmplice.

— Ele não pensaria que é muito perigoso?

— De modo algum. Se minha opinião sobre o caso estiver correta, e eu tenho todos os motivos para acreditar que sim, esse homem preferiria arriscar qualquer coisa a perder o anel. De acordo com o meu raciocínio, ele o deixou cair enquanto se debruçava sobre o corpo de Drebber e não sentiu falta no momento. Depois de deixar a casa, ele percebeu sua perda e correu de volta, mas viu que a polícia já estava com ele, por causa de sua própria tolice em deixar a vela acesa. Ele precisou fingir que estava bêbado para abrandar as suspeitas que poderiam ter surgido por sua aparição no portão. Agora, coloque-se no lugar daquele homem. Ao pensar sobre o assunto, deve ter ocorrido a ele que era possível que ele houvesse perdido o anel na estrada depois de sair da casa. O que ele faria, então? Procuraria ansiosamente nos jornais da tarde, na esperança de vê-lo entre os objetos encontrados. Seus olhos, claro, se acenderiam com essa possibilidade. Ele ficaria muito feliz. Por que temeria uma armadilha? A seus olhos, não haveria nenhuma razão para que a descoberta do anel fosse relacionada ao assassinato. Ele viria. Ele virá. Você pode recebê-lo dentro de uma hora?

— E então? — perguntei.

— Ah, você pode me deixar para cuidar dele. Você tem alguma arma?

— Eu tenho meu revólver antigo e alguns cartuchos.

— É melhor limpá-lo e carregá-lo. Trata-se de um homem desesperado e, embora eu deva pegá-lo desprevenido, é bom estar pronto para qualquer coisa.

Fui para o meu quarto e segui o conselho de Sherlock. Quando voltei com a pistola, a mesa havia sido limpa e Holmes estava envolvido em sua tarefa favorita de arranhar seu violino.

— O negócio está se complicando — disse ele enquanto eu entrava. — Acabei de receber uma resposta ao meu telegrama americano. Minha opinião sobre o caso é a correta.

— E sua opinião é... — questionei, ansiosamente.

— Meu violino ficaria melhor com cordas novas — comentou.

— Coloque sua pistola no bolso. Quando o sujeito chegar, fale com ele normalmente. Deixe o resto para mim. Não o assuste olhando fixamente para ele.

— São oito horas agora — afirmei, olhando para o relógio.

— Sim. Ele provavelmente estará aqui em alguns minutos. Abra um pouco a porta. Deve bastar. Agora coloque a chave do lado de dentro. Obrigado! Este é um livro velho e esquisito que peguei ontem em uma banca, *De Jure inter Gentes*, publicado em latim em Liège, nos Países Baixos, em 1642. A cabeça de Charles ainda estava firme em seu pescoço quando este pequeno volume de capa marrom foi lançado.

— Quem o imprimiu?

— Philippe de Croy, seja quem for. Na folha inicial, em uma tinta muito desbotada, está escrito "*Ex libris Guliolmi Whyte*". Eu me pergunto quem foi William Whyte. Algum advogado pragmático do século XVII, suponho. Sua escrita tem um toque de advocacia. Acho que lá vem o nosso homem.

Enquanto ele falava, alguém tocou a aguda campainha. Sherlock Holmes levantou-se tranquilamente e moveu a cadeira em direção à porta. Ouvimos a criada passar pelo corredor e o clique agudo do trinco quando ela o abriu.

— O Dr. Watson mora aqui? — perguntou uma voz clara, mas severa. Não conseguimos ouvir a resposta da criada, mas a porta se fechou e alguém começou a subir as escadas. A pegada era incerta e arrastada. Um olhar de surpresa passou pelo rosto do meu companheiro quando escutou. Atravessou a passagem vagarosamente, e houve uma leve batida na porta.

— Entre — chamei.

Com meu convite, ao invés do homem violento a quem esperávamos, uma mulher muito idosa e enrugada entrou no apartamento. Ela parecia confusa com o golpe de luz repentino e, depois de nos cumprimentar, parou, piscando para nós com os olhos arregalados e mexendo no bolso com dedos nervosos e trêmulos. Eu olhei para o meu companheiro e seu rosto assumiu uma expressão tão desconsolada que foi tudo o que pude fazer para manter minha postura.

A idosa pegou o jornal da tarde e apontou para o nosso anúncio.

— É isso o que me traz aqui, cavalheiros — disse, fazendo outra reverência. — Uma aliança de ouro na Brixton Road. Ela pertence à minha menina Sally, casada há apenas doze meses, cujo marido é um garçom a bordo de um navio americano, e o que ele diria se viesse para casa e a encontrasse sem a aliança é mais do que eu posso imaginar. Ele já é irritado nos melhores dias, mas fica mais quando bebe. Se vocês puderem me ajudar, na noite passada ela foi ao circo com ele...

— Essa é a aliança dela? — perguntei.

— Graças a Deus! — bradou a senhora. — Sally será uma mulher feliz esta noite. Esse é o anel.

— E qual é seu endereço? — questionei, pegando um papel.

— Número 13 da Duncan Street, Houndsditch. Um longo caminho daqui.

— A Brixton Road não fica entre nenhum circo e Houndsditch — disse Sherlock Holmes bruscamente.

A senhora olhou ao redor e o encarou com seus pequenos olhos avermelhados.

— O cavalheiro pediu o meu endereço — disse ela. — Sally mora na casa 3, Mayfield Place, em Peckham.

— E seu sobrenome é...?

— Meu sobrenome é Sawyer, o dela é Dennis, pois Tom Dennis casou-se com ela. É um rapaz esperto, e asseado também, contanto que esteja no mar, e nenhum garçom é mais querido; mas, quando em terra, só quer saber de mulheres e de lojas de bebida...

— Aqui está o seu anel, Sra. Sawyer — interrompi, em obediência a um sinal do meu companheiro. — O anel claramente pertence à sua filha e eu estou feliz por poder devolvê-lo ao seu dono por direito.

Com muitas bênçãos resmungadas e protestos de gratidão, a mulher idosa guardou-a em seu bolso e desceu as escadas. Sherlock Holmes ficou em pé no momento em que ela saiu e correu para o quarto dele. Ele retornou em alguns segundos, envolvido em um sobretudo e um cachecol.

— Vou segui-la — disse ele, apressadamente. — Ela deve ser cúmplice e me levará até ele. Me espere acordado.

A porta do corredor mal bateu e Holmes já havia descido a escada. Ao olhar pela janela, pude vê-la andando debilmente do outro lado, enquanto seu perseguidor a seguia um pouco atrás. "Ou toda a teoria está incorreta", pensei comigo, "ou então ele será conduzido ao coração do mistério". Não era necessário que ele me pedisse para esperá-lo acordado, pois eu sabia que dormir seria algo impossível até ouvir o resultado de sua aventura.

Eram quase nove horas quando ele partiu. Eu não tinha ideia de quanto tempo poderia demorar, mas o esperei impacientemente fumando meu cachimbo e pulando as páginas de *Vie de Bohème*, de Henri Murger. Eram mais de dez horas quando ouvi os passos da criada enquanto eles corriam para a cama. Onze horas, e o passo mais firme da proprietária foi ouvido à minha porta, rumo ao mesmo destino. Eram quase meia-noite quando ouvi o som agudo do trinco. No instante em que ele entrou, vi pelo seu rosto que ele não havia sido bem-sucedido. A diversão e o desgosto pareciam estar lutando pelo domínio, até que o primeiro de repente ganhou o dia, e ele explodiu em uma gargalhada intensa.

— Eu não permitiria que os oficiais da Scotland Yard soubessem de maneira alguma o que ocorreu! — gritou ele, lançando-se em sua cadeira. — Eu os provoquei tanto que eles nunca me deixariam em paz. Eu posso me dar ao luxo de rir, porque sei que ficarei par a par com eles no longo prazo.

— O que aconteceu? — perguntei.

— Ah, não me importo de contar uma história contra mim mesmo. Aquela criatura já havia caminhado um pouco quando começou a mancar e a dar todos os sinais de estar com o pé machucado. Logo, chamou uma carruagem que passava. Eu consegui chegar perto dela para ouvir o endereço, mas não precisava ter ficado tão ansioso, já que ela gritou em alto e bom som para ser ouvido do outro lado da rua: "Vá até o número 13 da rua Duncan, Houndsditch!", ela gritou. Pensei que isso começava a parecer verdade e, ao vê-la segura dentro do veículo, empoleirei atrás. Essa é uma arte que todos os detetives deveriam dominar. Bem, e assim partimos, e não paramos até chegar ao endereço em questão. Eu saltei antes de chegarmos à porta e caminhei pela rua de forma tranquila e sossegada. Vi a carruagem parar. O condutor desceu e eu o vi abrir a porta e aguardar. Ninguém saiu. Quando me aproximei, ele estava tateando freneticamente a carruagem vazia e dizia a melhor variedade de pragas que já ouvi. Não havia sinal ou rastro do passageiro, e temo que irá demorar um pouco até que ele receba seu pagamento. Ao chamar no número 13, descobrimos que a casa pertencia a um respeitável trabalhador da área de papéis de parede, chamado Keswick, e que os nomes Sawyer ou Dennis nunca foram ouvidos ali.

— Você não quer dizer — exclamei espantado — que aquela velhota fraca e cambaleante conseguiu sair da carruagem em movimento sem que você ou o cocheiro a vissem?

— Maldita idosa! — disse Sherlock Holmes, rudemente. — Nós fomos as mulheres idosas ao nos deixarmos levar dessa forma! Deve ter sido um jovem, e bem ativo, além de um incomparável ator. A apresentação foi inigualável. Ele viu que foi seguido, sem dúvida, e usou esse truque para escapar. Isso mostra que o homem que procuramos não é tão solitário quanto eu imaginava, e tem amigos que estão dispostos a se arriscarem por ele. Agora, doutor, você parece cansado. Siga o meu conselho e durma.

Eu, certamente, estava me sentindo muito cansado, então segui sua recomendação. Deixei Holmes sentado em frente à lareira ardendo e, tarde da noite, ouvi os gemidos baixos e melancólicos de seu violino e soube que ele ainda estava ponderando sobre o estranho caso que se propusera a desvendar.

6

TOBIAS GREGSON MOSTRA O QUE CONSEGUE FAZER

OS JORNAIS DO DIA SEGUINTE estavam tomados pelo "Mistério de Brixton", como o chamavam. Cada um tinha um longo relato do caso, e algumas análises. Havia algumas informações neles que eram novas para mim. Eu ainda mantenho em meu caderno de anotações diversos recortes e papéis sobre o caso. Aqui está um resumo de alguns deles.

O *Daily Telegraph* observou que, na história do crime, raramente houve uma tragédia que apresentasse tais características estranhas. O nome alemão da vítima, a ausência de motivos e a sinistra inscrição na parede, tudo apontava sua autoria para refugiados políticos e revolucionários. Os socialistas tinham muitos grupos na América e o morto havia, sem dúvida, infringido suas leis não oficiais e sido rastreado por eles. Após citar Vehmgericht, *aqua tofana*, Carbonari, a marquesa de Brinvilliers, a teoria darwiniana, os princípios de Malthus e os assassinatos na Ratcliff Highway, o artigo concluía alertando o governo e defendendo uma maior vigilância em relação aos estrangeiros na Inglaterra.

O *Standard* comentou o fato de que execuções sem lei desse tipo geralmente ocorriam sob uma administração liberal. Elas surgiam a partir da inquietação das massas e o consequente enfraquecimento das autoridades. O morto era um cavalheiro americano que estava morando havia algumas semanas na metrópole. Ele tinha se hospedado na pensão de Madame Charpentier, em Torquay Terrace, Camberwell. Era acompanhado, em suas viagens, por seu assistente pessoal, o Sr. Joseph Stangerson. Os dois haviam se despedido de sua senhoria na terça-feira, dia 4 do vigente mês, e partido para a Estação Euston com a intenção declarada de pegar o trem de Liverpool. Foram vistos na plataforma logo depois, juntos. Nada mais se ouvira sobre eles até que o corpo do Sr. Drebber fora, como registrado, encontrado em uma casa vazia na Brixton Road, a muitos quilômetros de Euston. Como ele chegou lá, ou como sofreu seu destino, são questões ainda envoltas em mistério. Nada se sabe sobre o paradeiro de Stangerson. Ficamos felizes em saber que o Sr. Lestrade e o Sr. Gregson, da Scotland Yard, estão envolvidos no caso, e foi adiantado em confiança que esses policiais reconhecidos logo irão esclarecer o assunto.

O *Daily News* observou que não havia dúvidas de que o crime era por motivos políticos. O despotismo e ódio do Liberalismo que animava os Governo Continentais haviam atraído para nossas terras um grupo de homens que teriam sido excelentes cidadãos se não estivessem marcados pelas lembranças de tudo o que haviam passado. Entre esses homens havia um código de honra estrito e qualquer violação era punível com a morte. Todos os esforços deveriam ser para encontrar o assistente, Stangerson, e determinar alguns hábitos particulares da vítima. Um grande passo havia sido dado com a descoberta do endereço da pensão onde ele se hospedara — resultado obtido totalmente graças à perspicácia e à energia do Sr. Gregson, da Scotland Yard.

Sherlock Holmes e eu líamos esses artigos durante o café da manhã, e pareciam ser para ele um bom divertimento.

— Eu lhe disse que, não importa o que acontecesse, Lestrade e Gregson certamente receberiam o reconhecimento.

— Isso depende de como tudo se resolver.

— Ah, vamos, isso não importa nem um pouco. Se o homem for pego, será por causa dos esforços deles; se ele fugir, será apesar dos esforços deles. É cara, eu ganho; coroa, você perde. Não importa o que eles fizerem, terão seguidores. "*Sot trouve toujours un plus sot qui l'admire*"[3].

— Que diabos é isso? — perguntei, pois nesse momento surgiram muitos passos no corredor e nas escadas, acompanhados de expressões audíveis de nojo da parte de nossa senhoria.

— É a divisão de investigação da polícia de Baker Street — disse meu companheiro, em tom grave. — E enquanto ele falava, entraram na sala meia dúzia dos mais sujos e esfarrapados árabes que moram nas ruas que eu já vi.

— Atenção! — gritou Holmes, num tom forte, e os seis bandidos sujos fizeram uma fila, como estatuetas indecentes. — Da próxima vez, vocês devem enviar Wiggins sozinho para se reportar, e o restante de vocês deve esperar na rua. Você achou, Wiggins?

— Não, senhor, não encontramos — disse um dos jovens.

— Eu dificilmente esperaria que vocês encontrassem. Devem continuar até achar. Aqui estão seus salários — e, então, ele entregou a cada um deles um xelim.

— Agora, vão embora e voltem com um relatório melhor da próxima vez.

Ele acenou com a mão e eles correram escada abaixo como muitos ratos, e ouvimos suas vozes estridentes na rua logo em seguida.

— Esses pequenos mendigos trabalham mais do que doze policiais — Holmes observou. — A mera visão de uma pessoa que pareça um policial fecha a boca das pessoas. Esses jovens, no entanto, vão a todos os lugares e ouvem tudo. Eles são afiados como agulhas também; tudo o que eles querem é organização.

— É para o caso de Brixton que você os contratou? — perguntei.

---

[3] Um tolo sempre encontra um mais tolo que o admira. (N.T.)

— Sim. Há algo que desejo averiguar. É apenas uma questão de tempo. Veja só! Vamos receber algumas notícias agora com um toque de vingança! Lá está Gregson descendo a estrada com a felicidade estampada em cada linha de seu rosto. Por nossa causa, eu sei. Sim, ele está parando. Ali está ele!

Houve um violento toque na campainha e, em poucos segundos, o detetive de cabelos claros subiu as escadas, três degraus de cada vez, e invadiu nossa sala de estar.

— Meu caro amigo — falou, balançando a mão indiferente de Holmes. — Me dê os parabéns! Eu esclareci tudo!

Uma sombra de ansiedade pareceu cruzar o rosto expressivo do meu companheiro.

— Você quer dizer que está no caminho certo? — perguntou.

— No caminho certo! Ora, senhor, temos o homem preso a sete chaves.

— E o nome dele é?

— Arthur Charpentier, subtenente da Marinha de Sua Majestade — gritou Gregson, pomposamente, esfregando as mãos gordas e inflando o peito.

Sherlock Holmes deu um suspiro de alívio e relaxou com um sorriso.

— Sente-se e experimente um desses charutos — disse ele. — Estamos ansiosos para saber como você conseguiu isso. Aceita uísque e água?

— Eu aceito — respondeu o detetive. — Os enormes esforços que realizei nos últimos dois dias me esgotaram. Não tanto o esforço físico, você entende, mas a tensão na mente. Você compreende isso, Sr. Sherlock Holmes, porque ambos trabalhamos com o cérebro.

— Você pensa muito de mim — disse Holmes, em tom sério. — Vamos ouvir como você chegou a esse resultado gratificante.

O detetive sentou-se na poltrona e tragou o charuto. Então, de repente, ele bateu na coxa em uma demonstração de empolgação.

— O mais divertido é que — começou ele — o idiota do Lestrade, que se considera tão inteligente, seguiu o caminho completamente errado. Ele está atrás do assistente Stangerson, que estava tão envolvido nesse caso quanto um bebê que ainda não nasceu. Não tenho dúvidas de que ele já o tenha prendido a essa hora.

A ideia provocou cócegas em Gregson, tanto que ele riu até engasgar.

— E como você conseguiu sua pista?

— Ah, vou contar tudo sobre isso. Claro, Doutor Watson, isso fica apenas entre nós. A primeira dificuldade que tivemos de enfrentar foi a descoberta dos antecedentes desse americano. Algumas pessoas teriam esperado até que seus anúncios fossem respondidos, ou até que as partes se apresentassem e oferecessem informações. Essa não é a maneira de Tobias Gregson fazer o trabalho. Você se lembra do chapéu ao lado da vítima?

— Sim — falou Holmes —, por John Underwood and Sons, 129, estrada Camberwell.

Gregson pareceu desanimar.

— Eu não sabia que você havia percebido isso — disse ele. — Você esteve lá?

— Não.

— Ah! — gritou Gregson, com alívio na voz. — Você nunca deve negligenciar uma oportunidade, por menor que ela possa parecer.

— Para uma grande mente, nada é pequeno — observou Holmes, como uma sentença.

— Bem, fui a Underwood e perguntei se ele havia vendido um chapéu daquele tamanho e descrição. Ele examinou seus livros e respondeu imediatamente. Ele havia enviado o chapéu para um Sr. Drebber, hospedado na pensão de Charpentier, Torquay Terrace. Assim, cheguei ao endereço dele.

— Inteligente, muito inteligente! — murmurou Sherlock Holmes.

— Em seguida, liguei para Madame Charpentier — continuou o detetive. — Eu a encontrei muito pálida e angustiada. A filha dela também estava na sala — uma garota excepcionalmente boa; seus olhos pareciam estar vermelhos e seus lábios tremiam enquanto eu falava com ela. Isso não me escapou. Aquilo não me cheirava bem. Você conhece o sentimento, Sr. Sherlock Holmes, quando você se depara com o cheiro certo, uma espécie de arrepio. Então perguntei a ela: "Você ouviu falar sobre a misteriosa morte do seu pensionista, o Sr. Enoch J. Drebber, de Cleveland?".

"A mãe confirmou. Ela não parecia capaz de falar sequer uma palavra. A filha começou a chorar. Eu senti, mais do que nunca, que essas pessoas sabiam algo sobre o assunto.

""A que horas o Sr. Drebber deixou sua casa para ir à estação?', perguntei.

"'Às oito horas', ela disse, engolindo em seco para conter a agitação. 'Seu assistente, o Sr. Stangerson, disse que havia dois trens, um às 9h15 e outro às 11h. Ele deveria pegar o primeiro'.

"'E foi a última vez que o viu?'.

"Então, o rosto da mulher mudou terrivelmente quando fiz a pergunta. Seu rosto ficou lívido. Demorou alguns segundos antes que ela conseguisse pronunciar a palavra 'sim' e, quando o fez, foi em tom rouco e não natural.

"Houve silêncio por um momento e, então, a filha falou com uma voz calma e clara.

"'Nada sairá de bom da mentira, mãe', disse ela. 'Sejamos francas com esse cavalheiro. Nós vimos o Sr. Drebber novamente'.

"'Deus lhe perdoe!', exclamou a madame Charpentier, levantando as mãos e afundando-se em sua cadeira. 'Você assassinou seu irmão'.

"'Arthur iria preferir que falássemos a verdade', respondeu a moça com firmeza.

"'É melhor você me contar tudo agora', eu disse. 'Meia confiança é pior que nenhuma. Além disso, você não sabe o quanto sabemos'.

"'A responsabilidade é sua, Alice!', exclamou a mãe; e então, virando-se para mim, disse: 'Vou contar tudo a você, senhor. Não pense que a minha agitação por meu filho venha de qualquer receio de que ele esteve envolvido nesse terrível caso. Ele é totalmente inocente disso. Meu medo é, no entanto, que, aos seus olhos e aos olhos dos outros, possa parecer comprometedor. Mas isso é certamente impossível. O caráter elevado dele, de sua profissão, de seus antecedentes o impediriam'.

"'A melhor solução é fazer uma investigação clara dos fatos', respondi. 'Dependendo disso, se seu filho for inocente, é isso que ele será'.

"'Talvez, Alice, seja melhor nos deixar a sós', ela disse, e sua filha se retirou. 'Agora, senhor', ela continuou, 'eu não tinha a intenção de contar tudo isso a você, mas já que minha pobre filha desabafou, não tenho outra alternativa. Mas como decidi falar, contarei tudo, sem omitir nenhum detalhe'.

"'Essa é a melhor decisão', comentei.

"'O Sr. Drebber estava conosco havia três semanas. Ele e seu assistente, Sr. Stangerson, estavam viajando pelo continente. Percebi um selo de "Copenhague" em suas malas, mostrando que esse era o seu mais recente local de parada. Stangerson era um homem quieto e reservado, mas seu empregador, sinto muito dizer, era o oposto disso. Ele tinha os hábitos rudes e seus modos eram brutos. Na mesma noite de sua chegada, ele ficou muito pior por causa da bebida e, de fato, após o meio-dia, era muito difícil vê-lo sóbrio. Suas atitudes com as criadas eram, de modo repulsivo, livres e familiares. O pior de tudo, ele logo começou a ter a mesma atitude com a minha filha, Alice, e falou com ela mais de uma vez de uma forma que, felizmente, ela é inocente demais para compreender. Em uma ocasião, ele a puxou e a abraçou, um desrespeito que fez com que seu próprio assistente o reprovasse por sua má conduta'.

"'Mas por que você suportou tudo isso?', perguntei. 'Suponho que você possa se livrar dos seus hóspedes quando quer'.

"A Sra. Charpentier corou com a pertinência de minha pergunta. 'Deus sabe que o teria dispensado no mesmo dia em que ele chegou', disse ela. 'Mas foi uma tentação difícil. Eles estavam pagando uma libra cada um por dia, 14 libras por semana, e essa é a temporada fraca. Eu sou viúva, e meu filho na Marinha me custa muito. Eu lamentava por perder dinheiro. Eu agi para o melhor. No entanto esse último acontecimento foi demais, e eu o avisei para sair por causa disso. Esse foi o motivo da saída dele'.

"'E?'.

"'Meu coração ficou leve quando o vi partir. Meu filho está de licença, mas eu não contei nada disso para ele, pois seu temperamento é violento, e ele é muito apegado à irmã. Quando fechei a porta atrás deles, parecia que um peso havia sido retirado da minha mente. E que tristeza! Em menos de uma hora alguém tocou a campainha e vi que o Sr. Drebber havia retornado. Ele estava muito agitado e, evidentemente, muito bêbado. Ele forçou sua entrada na sala, onde eu estava sentada com a minha filha, e fez algum comentário sem sentido sobre ter perdido seu trem. Então ele olhou para Alice, e diante dos meus olhos, propôs a ela que fosse embora com ele. "Você já tem idade", ele disse, "e não há nenhuma lei para impedi-la. Eu tenho dinheiro de sobra. Não se importe com a senhora aqui, mas venha comigo agora mesmo. Você viverá como uma princesa". Pobre Alice, estava tão assustada que se encolheu para fugir dele, mas ele a segurou pela cintura e tentou carregá-la até a porta. Eu gritei, e nesse momento, meu filho Arthur entrou na sala. O que aconteceu depois disso eu não sei. Eu ouvi ofensas e os sons confusos de uma briga. Estava assustada demais para levantar minha cabeça. Quando o fiz, vi Arthur na porta, rindo, com um porrete em sua mão. "Acho que esse camarada não irá nos incomodar novamente", ele disse. "Vou atrás dele apenas para ver o que vai fazer". Com essas palavras, ele pegou seu chapéu e seguiu pela rua. Na manhã seguinte, recebemos a notícia sobre a morte misteriosa do Sr. Drebber'.

"Esse depoimento partiu dos lábios da Sra. Charpentier com muitos engasgos e pausas. Às vezes, ela falava tão baixo que eu mal compreendia as palavras. No entanto fiz algumas anotações sobre tudo o que ela disse, para que não houvesse possibilidade de erro.

— Muito empolgante — disse Sherlock Holmes, bocejando. — O que aconteceu em seguida?
— Quando a Sra. Charpentier pausava — continuou o detetive —, vi que todo o caso estava pendurado por um ponto. Então, olhando fixamente para ela de uma forma que sempre acho eficaz para as mulheres, perguntei a que horas o filho dela havia retornado.
"'Eu não sei', ela respondeu.
"'Não sabe?'.
"'Não, ele tem a chave da porta, consegue entrar sozinho'.
"'E foi após você ter ido dormir?'.
"'Sim'.
"'A que horas você foi dormir?'.
"'Por volta das onze'.
"'Então, seu filho ficou fora por pelo menos duas horas?'.
"'Sim'.
"'Provavelmente quatro ou cinco?'.
"'Sim'.
"'O que ele estava fazendo durante esse tempo?'.
"'Eu não sei', respondeu ela, seus lábios perdendo a cor.
"Claro que depois disso não havia mais nada a ser feito. Descobri onde estava o tenente Charpentier, levei dois policiais comigo e o prendi. Quando o toquei no ombro e falei para que viesse tranquilamente conosco, ele nos respondeu de forma muito ousada: 'Suponho que vocês estejam me prendendo por estar envolvido na morte daquele Drebber patife', declarou. Não dissemos nada a ele sobre isso, portanto, sua alusão ao caso é muito suspeita".
— Muito — concordou Holmes.
— Ele ainda carregava o bastão pesado que a mãe havia descrito quando seguiu Drebber. Era um porrete de carvalho robusto.
— Qual é a sua teoria, então?
— Bem, minha teoria é que ele seguiu Drebber até a estrada Brixton. Lá, uma nova briga começou entre eles, durante a qual Drebber recebeu um golpe do bastão, na boca do estômago, talvez,

que o matou sem deixar qualquer marca. A noite estava tão úmida que ninguém estava por perto, então Charpentier arrastou o corpo de sua vítima para a casa vazia. Quanto à vela, ao sangue, à escrita na parede e ao anel, todos eles podem ter sido truques para conduzir a polícia pelo caminho errado.

— Muito bem! — disse Holmes em uma voz encorajadora. — Realmente, Gregson, você está indo bem. Você ainda nos será útil.

— Eu fico lisonjeado por ter conseguido isso de forma bastante ordenada — respondeu o detetive com orgulho. — O jovem se ofereceu para dar um depoimento, no qual disse que depois de seguir Drebber por algum tempo, este o notou e pegou um táxi para poder se afastar dele. A caminho de casa, ele encontrou um velho colega de navio e deu um longo passeio com ele. Ao ser questionado onde esse velho companheiro morava, foi incapaz de dar qualquer resposta satisfatória. Acredito que todo o caso se encaixa perfeitamente. O que me diverte é pensar em Lestrade, que havia começado pelo caminho errado. Temo que não vá chegar muito longe... Veja! Aqui está o homem!

Era, de fato, Lestrade, que subiu as escadas enquanto conversávamos, e que agora entrava na sala. A segurança e a alegria que geralmente marcavam sua postura e suas vestimentas estavam, no entanto, em falta. Seu rosto estava perturbado e atormentado, e suas roupas estavam bagunçadas. Evidentemente, estava ali com a intenção de consultar Sherlock Holmes, pois, ao perceber seu colega, pareceu envergonhado e desanimado. Ele ficou parado no centro da sala, tateando nervosamente seu chapéu, sem saber o que fazer.

— Esse é um caso muito extraordinário — disse ele enfim —, um caso muito incompreensível.

— Ah, você acha isso, Sr. Lestrade! — rebateu Gregson, triunfante. — Eu pensei mesmo que você chegaria a essa conclusão. Você conseguiu encontrar o assistente, o Sr. Joseph Stangerson?

— O assistente, o Sr. Joseph Stangerson — disse Lestrade com seriedade —, foi assassinado no hotel particular de Halliday por volta das seis da manhã de hoje.

7

UMA LUZ NA ESCURIDÃO

A INTELIGÊNCIA COM A QUAL LESTRADE NOS CUMPRIMENTOU foi tão momentânea e inesperada que todos nós ficamos bastante confusos. Gregson saltou da cadeira e virou o restante de seu uísque e água. Olhei em silêncio para Sherlock Holmes, cujos lábios estavam comprimidos e as sobrancelhas, franzidas sobre os olhos.

— Stangerson também! — murmurou. — Está ficando mais complicado.

— Já estava bem complicado antes — resmungou Lestrade, pegando uma cadeira. — Eu sinto como se tivesse caído em uma espécie de conselho de guerra.

— Você... Você tem certeza dessa informação? — gaguejou Gregson.

— Acabei de vir do quarto dele — disse Lestrade. — Eu fui o primeiro a descobrir o que havia ocorrido.

— Estávamos ouvindo a opinião de Gregson sobre o assunto — observou Holmes. — Você se importaria de nos contar o que viu e fez?

— Sem problemas — respondeu Lestrade, sentando-se. — Eu confesso abertamente que pensava que Stangerson estivesse envolvido na morte de Drebber. Mas esse novo desdobramento provou que eu estava completamente errado. Convencido de uma ideia, fiquei determinado a descobrir o que havia acontecido ao assistente. Eles foram vistos juntos da Estação Euston por volta das oito e meia da noite do dia 3. Às duas da manhã, Drebber foi encontrado morto na estrada Brixton. A questão que me desafiava era descobrir em que Stangerson estava envolvido entre as 20h30 e a hora do crime, e o que havia acontecido com ele depois disso. Eu mandei um telegrama para Liverpool, dando uma descrição do homem, e avisando-os para que ficassem em vigilância nos navios americanos. Então comecei meu trabalho, ligando para todos os hotéis e pensões nos arredores de Euston. Veja só, eu argumentei que se Drebber e seu companheiro houvessem se separado, o rumo natural do segundo seria estabelecer-se em algum lugar na vizinhança para passar a noite e, então, voltar para a estação na manhã seguinte.

— Eles provavelmente teriam combinado um ponto de encontro com antecedência — observou Holmes.

— E estava certo. Passei a tarde inteira de ontem conduzindo interrogatórios sem sucesso. Esta manhã, comecei muito cedo, e às oito horas cheguei ao Hotel Halliday, na Little George Street. Quando perguntei se algum Sr. Stangerson estava morando ali, eles logo me responderam que sim.

— Sem dúvidas, você é o cavalheiro por quem ele esperava — disseram. — Ele tem esperado por um cavalheiro há dois dias.

"'Onde ele está agora?', eu perguntei.

"'Ele está lá em cima, na cama. Ele queria ser acordado às nove'.

"'Eu vou subir e vê-lo imediatamente', informei.

"Eu pensava que minha aparição repentina poderia abalar seus nervos e levá-lo a dizer algo inesperado. O atendente se ofereceu para me mostrar o quarto: era no segundo andar, e havia um pequeno corredor que conduzia até ele. O funcionário apontou a porta e estava prestes a descer novamente quando vi algo que me fez ficar enjoado, apesar de meus vinte anos de experiência. Sob a porta, escorria uma pequena faixa vermelha de sangue, que serpenteava pela passagem e formava uma pequena poça ao longo do rodapé do outro lado. Eu dei um grito, o que fez o atendente retornar. Ele quase desmaiou quando viu. A porta estava trancada por dentro, mas nós a arrombamos. A janela do quarto estava aberta e, ao lado da janela, todo encolhido, estava o corpo de um homem em sua roupa de dormir. Ele estava morto havia algum tempo, pois seus membros estavam rígidos e frios. Quando o viramos, o funcionário do hotel logo o reconheceu como sendo o mesmo cavalheiro que havia ocupado o quarto sob o nome de Joseph Stangerson. A causa da morte foi uma facada profunda no lado esquerdo, que deve ter penetrado o coração. E agora vem a parte mais estranha do caso. O que você acha que estava acima do homem assassinado?"

Senti um arrepio na carne e um pressentimento de horror, mesmo antes de Sherlock Holmes responder.

— A palavra *"rache"*, escrita com sangue — revelou ele.

— Exatamente — disse Lestrade, com uma voz impressionada; e ficamos todos em silêncio por um tempo.

Havia algo tão metódico e incompreensível em relação às ações desse assassino desconhecido que conferia a seus crimes um toque fresco de horror. Meus nervos, que eram bem firmes no campo de batalha, tremiam quando pensava sobre isso.

— O homem foi visto — continuou Lestrade. — Um vendedor de leite, seguindo seu caminho ao mercado, acabou passando pela rua que sai dos alojamentos do hotel. Ele percebeu que uma escada, que normalmente ficava no chão, estava levantada contra uma das janelas do segundo andar, que estava bem aberta. Depois de passar por ali, ele olhou para trás e viu um homem descendo a escada. Ele desceu tão livremente e de forma tão tranquila que o garoto imaginou que ele fosse algum carpinteiro contratado pelo hotel. Ele não reparou em nada particular sobre o homem, além de pensar consigo mesmo que era muito cedo para que ele estivesse trabalhando. Ele tem a impressão de que o homem era alto, com o rosto corado, e estava vestido em um casaco longo e marrom. Ele deve ter permanecido no quarto um pouco depois do assassinato, pois encontramos respingos de água e sangue na pia, onde ele havia lavado suas mãos, e marcas nos lençóis, onde ele, deliberadamente, limpou sua faca.

Eu olhei para Holmes ao ouvir a descrição do assassinato, que era tão compatível com a descrição dele. No entanto não havia nenhum traço de exultação ou satisfação em seu rosto.

— Você não encontrou nada no quarto que poderia nos fornecer uma pista sobre o assassino? — perguntou.

— Nada. A carteira de Drebber estava no bolso de Stangerson, mas isso é comum, já que era ele quem fazia todos os pagamentos. Havia oitenta libras dentro dela, mas nada tinha sido levado. Quaisquer que forem os motivos desses crimes extraordinários, o roubo certamente não é um deles. Não havia nenhum papel ou memorando no bolso da vítima, a não ser um único telegrama, datado de Cleveland, cerca de um mês atrás, com as palavras: "J. H. está na Europa". Não havia nenhum nome relacionado a essa mensagem

— E não havia mais nada? — questionou Holmes.

— Nada de importante. Um livro, que a vítima lia antes de dormir, estava sobre a cama, e seu cachimbo estava em uma cadeira ao seu lado. Havia um copo de água sobre a mesa, e sobre o parapeito da janela, uma pequena caixa de unguentos, contendo duas pílulas.

Sherlock Holmes pulou de sua cadeira com um grito de alegria.

— O último elo! — bradou, exultante. — Meu caso está completo.

Os dois detetives o olharam, pasmos.

— Agora tenho em minhas mãos — disse meu companheiro, com confiança — todos os fios que formaram essa rede. Existem, claro, detalhes a serem preenchidos, mas estou seguro de todos os fatos principais, desde o momento em que Drebber se separou de Stangerson na estação, até a descoberta do corpo do assistente, como se eu tivesse visto com meus próprios olhos. Vou provar o que falo. Você conseguiu pegar aquelas pílulas?

— Estão aqui — disse Lestrade, mostrando uma pequena caixa branca. — Eu peguei junto com a carteira e o telegrama, com a intenção de colocá-los em um lugar seguro da delegacia. Foi uma mera coincidência pegar as pílulas, pois estou certo em dizer que não vejo nenhuma importância nelas.

— Deixe-me vê-las — pediu Holmes. — Agora, doutor — disse, virando-se para mim —, essas são pílulas comuns?

Elas certamente não eram. Tinham um tom cinza perolado, eram pequenas, redondas, e quase transparentes contra a luz.

— Por sua leveza e transparência, posso imaginar que são solúveis em água — observei.

— Exatamente — respondeu Holmes. — Você se importaria de descer e buscar aquele pobre terrier que está doente há muito tempo, e que a senhoria queria que você tirasse de seu sofrimento ontem?

Eu desci as escadas e levei o cachorro para cima em meus braços. Sua respiração difícil e olhar vitrificado demonstravam que ele não estava longe de seu fim. Na verdade, seu focinho branco como a neve proclamava que ele já havia ultrapassado o tempo comum de existência canina. Eu o coloquei sobre uma almofada no tapete.

— Agora irei cortar uma dessas pílulas em duas partes — explicou Holmes, e, com seu canivete, ele fez o que havia dito. — Uma metade colocamos de volta à caixa para o futuro. A outra metade colocarei dentro dessa taça de vinho, onde já coloquei uma colher de chá de água. Vocês irão perceber que nosso amigo, o doutor, está correto, e que ela logo se dissolve.

— Isso pode ser interessante — disse Lestrade, com o tom de quem suspeita ser motivo de riso e está com o ego ferido. — No entanto não consigo ver o que isso tem a ver com a morte do Sr. Joseph Stangerson.

— Paciência, meu amigo. Paciência! No momento certo você irá descobrir que tem tudo a ver. Agora, irei adicionar um pouco de leite para tornar a mistura mais agradável e, ao oferecermos para o cachorro, veremos que ele irá aceitar rapidamente.

Enquanto falava, ele derramou o conteúdo da taça de vinho em um pires e colocou-o diante do terrier, que rapidamente lambeu tudo. A atitude determinada de Sherlock Holmes havia nos convencido tanto, que ficamos todos em silêncio, observando o animal atentamente e esperando algum efeito surpreendente. Entretanto nada aconteceu. O cachorro continuou deitado sobre a almofada, respirando com muito esforço, mas aparentemente seu fôlego não melhorou nem piorou.

Holmes havia retirado o seu relógio, e enquanto os minutos passavam um após o outro, uma expressão de extremo desgosto e decepção apareceu em seu rosto. Ele mordia seu lábio, batia seus dedos sobre a mesa e demonstrava todos os sintomas de impaciência aguda. Sua ansiedade era tanta que eu senti verdadeira pena dele, enquanto os dois detetives sorriam ironicamente, nada infelizes por esse revés com o qual ele havia se deparado.

— Não pode ser uma coincidência — falou ele, finalmente, levantando de sua cadeira e caminhando de um lado a outro da sala. — É impossível ser mera coincidência. As mesmas pílulas das quais havia suspeitado no caso de Drebber foram encontradas após a morte de Stangerson. E, ainda assim, elas estão inertes. O que isso significa? Com certeza, minha linha de pensamento não pode ter sido falsa. É impossível! Mas esse pobre cachorro não piorou nada. Ah! Já sei! Já sei!

Com um grito de satisfação, ele correu até a caixa, cortou a outra pílula em duas partes, dissolveu-a, acrescentou leite e ofereceu ao terrier. A língua da pobre criatura mal parecia ter tocado a mistura quando ele apresentou um tremor convulsivo em cada um de seus membros e ficou deitado, rígido e sem vida, como se tivesse sido atingido por um raio.

Sherlock Holmes respirou profundamente e secou o suor de sua testa.

— Eu deveria ter mais fé — falou. — Eu já deveria saber que, quando um fato parece se opor a uma longa linha de raciocínio, ele invariavelmente prova ser capaz de carregar consigo alguma outra interpretação. Das duas pílulas na caixa, uma continha um veneno muito mortal e a outra era totalmente inofensiva. Eu deveria saber disso antes mesmo de ver a caixa. Essa última declaração me pareceu tão surpreendente que eu mal podia acreditar que ele estava sóbrio. No entanto ali estava o cachorro morto para provar que suas hipóteses estavam corretas. Pareceu-me que a névoa em minha própria mente estava gradualmente se dissipando, e comecei a ter uma percepção vaga e turva da verdade.

— Tudo isso parece estranho a vocês — prosseguiu Holmes — porque falharam no início da investigação ao não dar atenção à importância da única pista real que foi apresentada a vocês. Eu tive a sorte de apoderar-me dela e tudo o que ocorreu desde então serviu para confirmar minhas suposições iniciais e, de fato, foi a sequência lógica dos fatos. Por essa razão, o que os deixou perplexos e tornou o caso mais obscuro serviu para esclarecer tudo para mim e para fortalecer minhas conclusões. É um erro confundir a estranheza com o mistério. O crime com mais senso comum é normalmente o que oferece mais mistérios, porque ele não apresenta nenhuma característica nova ou especial de onde tirar as conclusões. Esse assassinato teria sido infinitamente mais difícil de desvendar se o corpo da vítima tivesse sido encontrado na estrada, sem qualquer um desses acompanhamentos bizarros e sensacionais que o tornaram tão marcante. Os detalhes estranhos, longe de tornarem o caso mais difícil, realmente tiveram o efeito de facilitá-lo.

O Sr. Gregson, que estava ouvindo a conversa com uma impaciência considerável, não conseguiu mais se conter:

— Olhe aqui, Sr. Sherlock Holmes — falou. — Todos nós estamos prontos para reconhecer que você é um homem inteligente e que tem os seus próprios métodos de trabalho. Mas agora queremos mais que apenas teoria e discurso. É o caso de prender um homem. Eu já resolvi meu caso e, pelo visto, eu estava errado. O jovem Charpentier não poderia estar envolvido nesse segundo acontecimento. Lestrade foi atrás de outro homem, Stangerson, e parece que ele também estava errado. Você lançou algumas dicas aqui e ali, e aparenta saber mais do que nós, mas chegou o momento em que temos o direito de perguntar diretamente o quanto você sabe sobre tudo isso. Você sabe quem fez isso?

— Não posso deixar de pensar que Gregson está certo, senhor — observou Lestrade. — Nós dois tentamos e falhamos. Durante todo o tempo em que estou aqui, você já disse mais de uma vez que tinha todas as evidências de que precisava. Certamente, não irá mais segurar essas informações.

— Todo e qualquer atraso em prender o assassino — observei — pode dar tempo a ele para cometer mais atrocidades.

Então, pressionado por todos nós, Holmes demonstrou sinais de hesitação. Ele continuou a andar de um lado a outro pela sala com sua cabeça apoiada em seu peito e suas sobrancelhas franzidas, como era seu hábito quando ele estava perdido em pensamentos.

— Não haverá mais assassinatos — disse, finalmente, parando de repente e olhando para nós. — Isso está fora de questão. Vocês me perguntaram se eu sei o nome do assassino. Eu sei. Entretanto o simples fato de saber o nome dele é algo pequeno, comparado ao poder de colocar nossas mãos sobre ele. Espero fazer isso muito em breve. Tenho esperança de realizar isso por minha própria conta, mas é algo que precisa de cuidado, pois temos de lidar com um homem astuto e desesperado, que é apoiado, como já tive a chance de provar, por outro tão inteligente quanto ele. Enquanto esse homem não tem ideia de que alguém desconfia dele, temos uma chance de prendê-lo; mas se tiver a menor suspeita, ele mudará de nome e sumirá em um instante entre os quatro milhões de habitantes desta grande cidade. Sem querer ferir os sentimentos de nenhum de vocês dois, devo dizer que considero esses homens além do que a força policial pode cuidar, e é por isso que não pedi a ajuda de vocês. Se eu falhar, certamente assumirei toda a culpa por essa omissão, porém estou preparado. No momento, estou pronto para prometer que, quando eu puder falar com vocês sem colocar meus planos em risco, o farei.

Gregson e Lestrade não ficaram nada satisfeitos com essa garantia, ou com o comentário depreciativo sobre a força policial. O primeiro estava ruborizado até a raiz dos cabelos louros e os olhos grandes e redondos do outro brilhavam com curiosidade e ressentimento. No entanto nenhum deles teve tempo de falar, pois houve uma batida na porta, e o representante dos árabes das ruas, o jovem Wiggins, apresentou-se, insignificante e repugnante.

— Por favor, senhor — falou, tocando seu topete. — A carruagem está lá embaixo.

— Bom rapaz — disse Holmes, suavemente. — Por que não apresenta esse modelo para a Scotland Yard? — continuou, retirando um par de algemas de aço de uma gaveta. — Veja como a mola funciona bem. Ela se ajusta rapidamente.

— O modelo antigo é bom o bastante — observou Lestrade. — Se apenas encontrássemos o homem para usá-las.

— Muito bem, muito bem — disse Holmes, sorrindo. — O cocheiro pode me ajudar com minhas caixas. Peça a ele para subir até aqui, Wiggins.

Fiquei muito surpreso ao ver meu companheiro falando como se estivesse prestes a sair em uma jornada, já que ele não tinha me falado nada. Havia uma pequena mala de viagem na sala, e essa ele carregou. Estava envolvido nessa tarefa quando o cocheiro entrou.

— Apenas me ajude com essa fivela, cocheiro — pediu Holmes, concentrando-se em sua tarefa sem olhar para trás.

O rapaz caminhou com um ar desafiador e soturno, e estendeu suas mãos para ajudar. Naquele momento, houve um pequeno barulho de fecho, um tinir, e Sherlock Holmes pulou novamente.

— Cavalheiros — falou ele, com olhos brilhantes. — Deixe-me apresentá-los ao Sr. Jefferson Hope, o assassino de Enoch Drebber e Joseph Stangerson.

Tudo aconteceu em um instante — tão rápido que eu não tive tempo de perceber. Tenho uma memória vívida daquele momento, da expressão triunfante de Holmes e do tom de sua voz, do rosto estupefato e irado do cocheiro, enquanto ele olhava as algemas brilhantes, que apareceram como mágica em seus pulsos. Por um segundo ou dois, nós ficamos parecendo um grupo de estátuas. Então, com um rugido de fúria, o prisioneiro libertou-se das mãos de Holmes e se lançou pela janela. A madeira e o vidro cederam diante dele, mas antes que ele os atravessasse, Gregson, Lestrade e Holmes saltaram sobre ele como cães. Ele foi puxado de volta para a sala, e então teve início um terrível conflito. Ele era tão forte e poderoso, que nós quatro fomos golpeados várias vezes. Parecia ter a força convulsiva de um homem durante um ataque epilético. Seu rosto e suas mãos ficaram muito feridas por passarem pelo vidro, mas a perda de sangue não teve nenhum efeito em diminuir sua resistência. Foi apenas quando Lestrade conseguiu segurar seu cachecol e quase o estrangular que o fizemos perceber que seus esforços eram em vão, e mesmo assim não nos sentimos seguros até que conseguimos amarrar seus pés e suas mãos. Feito isso, ficamos em pé e tomamos fôlego.

— Temos o veículo dele — disse Sherlock Holmes. — Vai servir para o levarmos para a Scotland Yard. E agora, cavalheiros — continuou, com um sorriso agradável —, chegamos ao fim de nosso pequeno mistério. Vocês podem fazer qualquer pergunta para mim agora e não há riscos de eu me recusar a respondê-las.

PARTE 2

O país dos santos

1

NA GRANDE PLANÍCIE ALCALINA

NA REGIÃO CENTRAL DO GRANDE CONTINENTE NORTE-AMERICANO, HÁ UM DESERTO ÁRIDO E REPULSIVO que durante um ano serviu como barreira contra o avanço da civilização. De Sierra Nevada a Nebraska, e do Rio Yellowstone, no norte do Colorado, até o Sul, há uma região de desolação e silêncio. A natureza também não é constante em todo esse horrível distrito. Há montanhas altas e cobertas de neve e vales escuros e sombrios; rios que fluem velozmente e arremetem-se sobre cânions recortados, além de planícies enormes, que no inverno ficam brancas com a neve e no verão ficam acinzentadas com a areia álcali. No entanto todos mantêm as características comuns de aridez, inospitalidade e miséria.

Não há habitantes nessa terra de desespero. Alguns índios Pawnee ou Blackfeet podem cruzar o território ocasionalmente para poder chegar a outros pontos de caça, porém os mais bravos guerreiros ficam felizes ao perder de vista aquelas maravilhosas planícies e entrar novamente em seus campos. Os coiotes se esgueiram entre os arbustos, os abutres voam pesadamente sobre o ar e o desajeitado urso pardo atravessa as ravinas escuras e apanha o sustento que consegue entre as rochas. Esses são os únicos habitantes no deserto.

Em todo o mundo não deve haver visão mais sombria que a do declive norte de Sierra Blanco. Até onde a vista alcança, estende-se a grande terra plana, toda coberta de manchas de álcali intercalada por aglomerados de arbustos chaparrais anões. No limite extremo do horizonte há uma longa cadeia de picos montanhosos, com seus cumes irregulares salpicados de neve. Nesse grande trecho do país não há sinal de vida nem de qualquer coisa relacionada à vida. Não há pássaros no céu azul como o aço, nenhum movimento sobre a terra cinzenta e opaca — sobretudo, há um silêncio absoluto. Preste atenção o quanto quiser, não há sombra de som em todo aquele deserto poderoso; nada além de silêncio — um silêncio completo e que subjuga o coração.

Já foi dito que não há nada relacionado à vida sobre a ampla planície. Isso não é verdade. Ao olhar de Sierra Blanco, é possível ver um caminho traçado pelo deserto, que continua e se perde na distância. Ele é repleto de marcas de rodas e pelos passos de muitos aventureiros. Aqui e ali há objetos brancos despedaçados que brilham com o sol e se destacam entre os montes opacos de álcali. Aproxime-se e analise-os! São ossos: alguns largos e grossos, outros, menores e mais delicados. Os primeiros pertenciam a bois e, os últimos, a homens. Por mais de dois mil quilômetros é possível traçar essa terrível rota de caravanas graças aos restos daqueles que caíram pela estrada.

Olhando para esse cenário, em 4 de maio de 1847, lá estava um viajante solitário. Sua aparência era tão peculiar que ele poderia ser o gênio ou o demônio dessa região. Um homem observador acharia difícil dizer se ele tinha 40 ou 60 anos. Seu rosto era magro e de aspecto selvagem, e sua pele da cor de pergaminho cobria seus ossos saltados; seu cabelo longo e castanho e sua barba eram salpicados de branco; seus olhos eram afundados em sua cabeça e ardiam com um brilho não natural; a mão que segurava seu rifle era um pouco mais carnuda que um esqueleto. Em pé, ele se debruçava sobre sua arma para ter apoio e, ainda assim, sua altura e a estrutura maciça de seus ossos sugeriam um conjunto resistente e vigoroso. No entanto seu rosto esquelético e suas roupas, que pendiam de tão desajeitadas sobre seus membros enrugados, anunciavam a razão daquela aparência senil e decrépita. O homem estava morrendo — morrendo de fome e de sede.

Ele havia caminhado dolorosamente pela ribanceira e até a essa pequena elevação, na vã esperança de ver alguns sinais de água. Agora, a grande planície salgada se esticava diante de seus olhos, e o cinturão de montanhas selvagens também, sem nenhum sinal de plantas ou árvores, o que poderia indicar a presença de umidade. Em toda a ampla paisagem não havia sinal de esperança. Norte, leste e oeste, olhava com olhos investigadores, e então percebeu que suas buscas haviam chegado ao fim e que ali, naquele penhasco estéril, ele estava prestes a morrer.

— Bem, por que não aqui, ou em uma cama de penas, daqui a 20 anos — murmurou ele, enquanto se sentava no refúgio de uma rocha.

Antes de sentar-se, ele colocou seu rifle inútil sobre o solo, e também um grande embrulho amarrado em um xale cinza, que ele havia carregado sobre o ombro direito. Parecia um pouco pesado demais para ele, pois, ao abaixá-lo, caiu no chão com um pouco de violência. No mesmo momento, do embrulho cinza saiu um pequeno grito de lamento, e dele surgiu um rosto pequeno e assustado, com olhos castanhos muito brilhantes e dois pequenos punhos pontilhados e manchados.

— Você me machucou! — disse uma voz infantil, em tom de repreensão.

— É mesmo? — respondeu o homem, lamentando. — Não fiz de propósito.

Enquanto falava, ele desembrulhou o xale cinza e retirou uma linda menininha, de cerca de cinco anos, cujos sapatos delicados e um vestido rosa com seu pequeno avental indicavam o cuidado de sua mãe. A criança estava pálida e abatida, mas seus braços e pernas saudáveis demonstravam que ela havia sofrido menos do que seu companheiro.

— Como está agora? — indagou, ansioso, pois ela ainda estava esfregando seus cachos dourados que cobriam a parte de trás de sua cabeça.

— Dê um beijo para melhorar — disse ela, com seriedade, apresentando a ele a região ferida. — É isso que minha mãe costumava fazer. Onde ela está?

— Sua mãe foi embora. Acho que não vai demorar para você vê-la novamente.

— Foi embora, né? — perguntou a menina. — Engraçado, ela não me disse adeus; ela quase sempre o fazia mesmo quando ia até a Tia para tomar chá, e agora ela já saiu há três dias. Está muito seco, não é? Não há água nem nada para comer?

— Não, não há nada, querida. Você precisa apenas ser um pouco paciente e ficará bem. Encoste sua cabeça em mim e se sentirá melhor. Não é fácil falar quando seus lábios estão tão secos quanto couro. Mas acho melhor falar com você sobre como estão as coisas. O que você tem aí?

— Coisas lindas! Finas! — afirmou a garotinha, com entusiasmo, segurando dois pequenos fragmentos brilhantes de mica. — Quando voltarmos para casa, eu os darei para o irmão Bob.

— Você logo verá coisas mais bonitas que essas — garantiu o homem, com confiança. — Apenas espere um pouco. Mas eu já ia lhe dizer que: você se lembra de quando saímos de perto do rio?

— Ah, sim.

— Bem, nós esperávamos encontrar outro rio logo, veja só. Mas algo deu errado; bússolas, ou o mapa, ou algo, e não o encontramos. A água acabou. Só sobrou uma pequena gota para você e... e...

— E você não conseguiu tomar banho — interrompeu sua companheira, com seriedade, olhando para seu rosto encardido.

— Não, nem beber. E o Sr. Bender, ele foi o primeiro a ir embora, e depois o Índio Pete, e depois a Sra. McGregor, Johnny Hones e, então, querida, sua mãe.

— Então minha mãe também faleceu — exclamou a garotinha, encostando o avental em seu rosto e chorando amargamente.

— Sim, todos eles foram embora, exceto você e eu. Então pensei que havia uma chance de encontrarmos água nessa direção, por isso a coloquei sobre meus ombros e caminhamos juntos. No entanto não parece que nossa situação melhorou. Há uma pequeníssima chance para nós agora!
— Você quer dizer que nós vamos morrer também? — perguntou a criança, parando de soluçar, levantando seu rosto manchado pelas lágrimas.
— Acredito que é exatamente isso.
— Por que você não disse isso antes? — perguntou ela, rindo alegremente. — Você me assustou muito. Agora, quando morrermos, estaremos novamente com a minha mãe.
— Sim, você vai, querida.
— E você também. Vou contar a ela como você tem sido muito bom. Aposto que ela irá nos encontrar às portas do Céu com um grande jarro de água e muitos bolos de trigo-mouro, quentes, tostados dos dois lados, como eu e Bob gostávamos. Quanto tempo temos de esperar?
— Eu não sei, mas não muito.
Os olhos do homem estavam fixos no horizonte ao norte. Numa abóbada azul do céu apareceram três pequenos pontos cujo tamanho aumentou cada segundo, de tão rápido que se aproximaram. Eles rapidamente se transformaram em três grandes pássaros marrons, que circulavam sobre a cabeça dos dois errantes, e então pousaram em algumas pedras sobre eles. Eram urubus, os abutres do Oeste, cuja chegada é o prenúncio da morte.
— Galos e galinhas — exclamou a garota, feliz, apontando para aqueles símbolos de mau presságio, batendo palmas para fazê-los voar. — Conte-me: Deus criou este país?
— Sim, Ele criou — disse seu companheiro, surpreso com essa pergunta inesperada.
— Ele criou o país em Illinois, e fez o Missouri — continuou a garota. — Eu acho que outra pessoa criou o país nestas áreas. Não está muito bem-feito. Ele se esqueceu da água e das árvores.

— O que você acha de fazer uma oração? — disse o homem, timidamente.

— Mas ainda não é noite — respondeu ela.

— Não tem problema. Não é comum, mas pode apostar que Ele não irá se importar. Faça a oração que você costumava fazer todos os dias na carroça quando estávamos na planície.

— Por que você mesmo não ora? — perguntou a criança, com olhos curiosos.

— Eu não me lembro de como se faz — respondeu. — Eu não fiz mais nenhuma oração desde que era mais baixo que aquele rifle. Acho que nunca é tarde demais. Você pode fazê-las em voz alta, e ficarei esperando para entrar no refrão.

— Então você precisa se ajoelhar, e eu também — comentou ela, arrumando o xale para isso. — Você deve levantar suas mãos assim. Faz você se sentir bem.

Teria sido uma cena estranha se houvesse alguém além dos urubus para vê-la. Lado a lado, no xale estreito, ajoelharam-se os dois viajantes, a criancinha tagarela e o aventureiro imprudente e endurecido. O rosto rechonchudo dela e o abatido e anguloso dele estavam ambos voltados para o céu sem nuvens, em um pedido sincero para aquele Ser terrível com quem estavam face a face, enquanto as duas vozes — uma fina e clara, a outra profunda e severa — se uniram no clamor por misericórdia e perdão. A oração terminou, eles voltaram a sentar-se à sombra da rocha até que a criança adormeceu, aninhada no peito largo de seu protetor. Ele vigiou seu sono por algum tempo, mas a natureza provou ser forte demais para ele. Durante três dias e três noites, ele não se permitiu descansar nem repousar. Lentamente, as pálpebras caíram sobre os seus olhos cansados, e a cabeça afundou mais e mais no peito, até que a barba grisalha do homem se misturou com as madeixas douradas de sua companheira, e ambos dormiram o mesmo sono profundo e sem sonhos.

Se o viajante houvesse permanecido acordado por mais meia hora, uma visão estranha teria saltado aos seus olhos. Ao longe, no limite extremo da planície de álcali, levantava-se uma pequena onda de poeira, muito suave a princípio, e quase incapaz de ser distinguida das névoas da distância, mas ficando gradualmente mais alta e mais larga, até formar uma nuvem sólida e nítida. Essa nuvem continuou a aumentar até se tornar evidente que só poderia ser criada por uma grande multidão de criaturas em movimento. Em locais mais férteis, o observador chegaria à conclusão de que um desses grandes rebanhos de bisões que pastam nos campos estava se aproximando. Isso era obviamente impossível naquelas regiões áridas. Quando o redemoinho de poeira se aproximou do penhasco solitário onde os dois abandonados repousavam, as carroças cobertas por tecido e as figuras de cavaleiros começaram a aparecer pela neblina, e a aparição revelou-se uma grande caravana em sua jornada para o Oeste. E que caravana! Quando seu líder alcançou a base das montanhas, as últimas carroças ainda não eram visíveis no horizonte. Do outro lado da enorme planície, estendia-se o conjunto disperso, vagões e carroças, homens a cavalo e homens a pé. Inúmeras mulheres que cambaleavam sob suas cargas e crianças que andavam ao lado dos vagões ou espreitavam por sob as cobertas brancas. Evidentemente, não era um grupo comum de imigrantes, mas alguns nômades que haviam sido obrigados, devido às circunstâncias, a procurar um novo país. Então surgiu, através do ar puro, um confuso barulho daquela grande massa de pessoas, com o rangido das rodas e o relinchar dos cavalos. Por mais alto que fosse, não foi o suficiente para despertar os dois viajantes cansados acima deles.

À frente da coluna havia um ou mais grupos de homens com expressão severa, vestidos em roupas sombrias e simples, armados com rifles. Ao chegar à base do penhasco, eles pararam e fizeram uma pequena reunião.

— Os poços estão à direita, meus irmãos — disse um homem de lábios rígidos, barbeado e com cabelos grisalhos.

— À direita de Sierra Blanco, então chegaremos ao Rio Grande — disse outro.

— Não se preocupe com a água — exclamou um terceiro. — Aquele que pode extrair água da rocha não abandonará agora seu povo escolhido.

— Amém! Amém! — responderam todos.

Eles estavam prestes a retomar sua jornada quando um dos mais jovens e mais atentos homens gritou e apontou em direção ao penhasco acidentado acima deles. De seu cume, surgiu um pequeno ponto rosa, concreto e brilhante, em oposição às rochas cinzentas atrás. Ao verem isso, afrouxaram as rédeas dos cavalos e abaixaram as armas, enquanto cavaleiros recém-chegados galopavam para reforçar a retaguarda. A palavra "Peles-vermelhas" estava em todos os lábios.

— Não pode haver nenhum indígena aqui — disse o ancião que parecia estar no comando. — Já passamos os Pawnees e não há outras tribos até cruzarmos as grandes montanhas.

— Devo ir em frente para checar, Irmão Stangerson? — perguntou um dos membros da caravana.

— E eu! — E eu! — gritaram outras vozes.

— Deixem seus cavalos aqui embaixo e vamos esperar por vocês aqui — respondeu o ancião.

Em um instante, os jovens rapazes desceram dos cavalos, amarraram-nos e subiram a encosta íngreme que levava ao alvo que despertou sua curiosidade. Com a confiança e a destreza de escoteiros, eles avançaram rapidamente e em silêncio. Os observadores da planície abaixo podiam vê-los movimentar-se de pedra em pedra, até suas figuras se destacarem contra o céu. O jovem que os havia alertado os liderava. De repente, seus seguidores viram-no levantar as mãos, como se tivessem sido tomados por espanto, e ao juntarem-se a ele, foram afetados da mesma maneira pela visão adiante deles.

No pequeno planalto que coroava a colina estéril, havia uma única rocha gigante, e contra essa rocha estava um homem alto, de barba longa e de rosto severo, mas excessivamente magro. Seu rosto calmo e respiração regular demonstravam que ele estava dormindo profundamente. Ao lado dele havia uma criancinha, com seus braços brancos e redondos circundando o pescoço marrom e musculoso do homem, e sua cabeça, de cabelos dourados, repousando sobre o peito com túnica de veludo. Os lábios rosados da menina estavam abertos, mostrando a linha regular de dentes brancos como a neve, e um sorriso brincalhão surgiu em seus traços infantis. Suas pequenas pernas brancas rechonchudas, com meias brancas e sapatos elegantes de fivelas brilhantes, ofereciam um estranho contraste com os longos e enrugados membros de seu companheiro. Na borda da rocha, acima dessa estranha dupla, havia três abutres que, diante dos recém-chegados, soltaram gritos estridentes de decepção e se afastaram, insatisfeitos.

Os gritos dos pássaros sujos acordaram os dois dorminhocos, que olharam ao redor, perplexos. O homem cambaleou e olhou para baixo, para a planície que havia estado tão desolada no momento em que o sono o dominara, e que agora estava coberta por esse enorme grupo de homens e animais. Seu rosto assumiu uma expressão de incredulidade enquanto ele olhava, e ele passou sua mão ossuda sobre os olhos.

— Isso é o que eles chamam de delírio, eu acho — murmurou. A criança permaneceu ao lado dele, segurando a barra de seu casaco, e não disse nada, mas olhou ao seu redor, com o olhar questionador da infância.

A equipe de resgate rapidamente conseguiu convencer os dois de que sua presença não era uma ilusão. Um deles pegou a garotinha e colocou-a sobre seu ombro, enquanto outros dois apoiaram seu companheiro esquelético e o ajudaram a caminhar na direção das carroças.

— Meu nome é John Ferrier — explicou o viajante. — Aquela pequena e eu somos os únicos que sobraram de vinte e uma pessoas. O restante morreu de sede e de fome ao longo do caminho ao sul.

— Ela é sua filha? — perguntou alguém.

— Acho que agora é — respondeu o outro, de maneira desafiadora. — Ela é minha porque eu a salvei. Nenhum homem irá tirá-la de mim. Ela é Lucy Ferrier a partir deste dia. E quem são vocês?
— Ele continuou, olhando com curiosidade para seus salvadores corajosos e queimados pelo sol. — Parece haver muitos de vocês.
— Cerca de dez mil — esclareceu um dos jovens. — Somos os filhos perseguidos de Deus, os escolhidos do Anjo Merona.
— Eu nunca ouvi falar dele — disse o viajante. — Ele parece ter escolhido um bom grupo para si.
— Não zombe daquilo que é sagrado — advertiu o outro, severamente. — Somos aqueles que creem nas escrituras sagradas, escritas em caracteres egípcios sobre placas de ouro batido, entregues ao santo Joseph Smith, em Palmira. Nós viemos de Nauvoo, no estado de Illinois, onde fundamos nosso templo. Viemos buscar refúgio do homem violento e dos ímpios, ainda que seja no coração do deserto.
O nome de Nauvoo evidentemente trouxe recordações a John Ferrier.
— Entendo — disse ele. — Vocês são os mórmons.
— Nós somos os mórmons — responderam seus companheiros a uma só voz.
— E para onde estão indo?
— Não sabemos. A mão de Deus está nos guiando sob a pessoa do nosso profeta. Você deve se apresentar a ele. Ele dirá o que deve ser feito a seu respeito.
A essa altura eles já haviam chegado à base da colina e estavam cercados por multidões de peregrinos — mulheres de aparência mansa e pálida, crianças rindo bastante e homens ansiosos. Muitas foram as exclamações de espanto e compaixão quando notaram a juventude de um dos desconhecidos e o abatimento de outro. Sua escolta não parou, contudo seguiu em frente, acompanhada por uma grande multidão de mórmons, até que chegaram a uma carroça, notável por seu tamanho e pela ostentação e elegância de

sua aparência. Seis cavalos estavam ligados a ela, enquanto as outras eram conduzidas por dois ou, no máximo, quatro cavalos. Ao lado do cocheiro estava sentado um homem que não tinha mais de trinta anos, mas cuja cabeça e expressão resoluta o identificavam como líder. Ele estava lendo um volume de capa marrom, mas quando a multidão se aproximou, ele o colocou de lado e ouviu atentamente ao relato sobre o acontecido. Então ele voltou-se para os dois viajantes.

— Se os levarmos conosco — falou ele, solenemente —, será apenas se forem participantes do mesmo credo que nós. Não aceitaremos lobos em nosso rebanho. Melhor que seus ossos percam sua cor neste deserto do que vocês provarem ser aquela pequena partícula de decadência que com o tempo corrompe todo o fruto. Você virá conosco sob essas condições?

— Acho que irei com vocês sob qualquer condição — disse Ferrier, com tanta ênfase que os anciãos não conseguiram conter um sorriso. Somente o líder manteve sua expressão severa e impressionante.

— Leve-o, Irmão Stangerson — disse. — Dê-lhe comida e bebida, e para a criança também. Será sua tarefa ensinar-lhe nosso santo credo. Já demoramos tempo suficiente. Em frente! Em frente, para Sião!

— Para Sião! — gritou a multidão de mórmons, e as palavras ecoaram pela longa caravana, passando de boca em boca, até morrer ao longe em um leve murmúrio. Com o estalar de chicotes e um rangido de rodas movendo-se, a enorme caravana seguiu viagem mais uma vez. O ancião a quem foi dada a responsabilidade de cuidar dos dois abandonados, levou-os para sua carroça, onde uma refeição já os aguardava.

— Vocês devem ficar aqui — explicou ele. — Em alguns dias já terão se recuperado. Enquanto isso, lembrem-se de que a partir de agora e para sempre vocês são de nossa religião. Brigham Young disse isso, e ele falou com a voz de Joseph Smith, que é a voz de Deus.

2

A FLOR DE UTAH

ESTE NÃO É O LUGAR PARA RECORDAR as dificuldades e as privações enfrentadas pelos imigrantes mórmons antes que encontrassem seu refúgio final. Desde as margens do Mississippi até as encostas ocidentais das Montanhas Rochosas, eles lutaram com uma constância sem paralelos na História: o homem selvagem, os animais selvagens, fome, sede, cansaço e doença, todos os impedimentos que a natureza podia colocar em seu caminho, todos foram vencidos com uma tenacidade anglo-saxônica. Ainda assim, a longa jornada e os terrores acumulados abalaram o coração do mais corajoso entre eles. Não houve um homem que não tenha se ajoelhado em oração sincera quando viram o largo vale de Utah banhado pelo sol e ouviram de seu líder que aquela era a terra prometida e que aqueles acres intocados seriam seus para sempre.

Young logo provou ser um administrador habilidoso, assim como um chefe decidido. Mapas foram feitos e gráficos preparados, nos quais a futura cidade estava desenhada. Ao redor, as fazendas foram divididas e atribuídas de acordo com a posição de cada um. O comerciante foi colocado em sua função, e o artesão, em seu chamado. As ruas e praças da cidade começaram a surgir, como por mágica. No campo havia cercas e coberturas, plantações e limpezas de terreno, até que no verão seguinte, todo o campo estava dourado com a colheita de trigo. Tudo prosperava naquele ambiente inóspito. Acima de tudo, o grande templo que se erguia no meio da cidade ficava cada vez mais alto e largo. Do primeiro feixe de manhã até o fim do crepúsculo, o bater do martelo e o raspar da serra nunca paravam no monumento que os imigrantes ergueram a Ele, que os havia guardado em segurança por muitos perigos.

Os dois viajantes, John Ferrier e a garotinha com que havia compartilhado seu destino e que fora adotada como sua filha, acompanharam os mórmons até o fim de sua grande peregrinação. A pequena Lucy Ferrier foi carregada com muita alegria na carroça de Elder Stangerson, um refúgio que ela dividia com as três esposas do mórmon e seu filho, um menino forte e adiantado de 12 anos. Tendo lutado, com a elasticidade da infância, contra o choque causado pela morte de sua mãe, logo se apegou às mulheres e se conformou com essa nova vida em sua casa móvel coberta por tecido. Enquanto isso, Ferrier, após se recuperar de sua fraqueza, destacou-se como um guia útil e um caçador incansável. Ele ganhou a estima de seus companheiros tão rapidamente que, quando chegaram ao fim de sua jornada, ficou decidido por unanimidade que ele deveria receber um grande pedaço de terra fértil igual aos outros, com exceção do próprio Young, e Stangerson, Kemball, Johnston e Drebber, os quatro principais anciões.

Em sua fazenda então adquirida, John Ferrier construiu uma grande casa de madeira, que recebeu tantas adições nos anos seguintes que se tornou uma vila repleta de quartos. Ele era um homem de pensamento prático, ávido em seus negócios e habilidoso com suas mãos. Sua estrutura forte como o ferro permitiu-lhe trabalhar de manhã e à noite para melhorar e cultivar suas terras. Por isso, sua fazenda e tudo o que lhe pertencia prosperou extraordinariamente. Em três anos, ele estava melhor que seus vizinhos; em seis, ele estava abastado; em nove, era rico; e em doze, não havia meia dúzia de homens em toda Salt Lake City que pudessem se comparar a ele. Do grande mar até as distantes Montanhas Wahsatch não havia nome mais conhecido que o de John Ferrier. Houve uma forma, e apenas uma, com que ele ofendeu a sensibilidade de seus companheiros de religião. Nenhum argumento ou persuasão poderiam induzi-lo a escolher uma esposa segundo as regras de seus companheiros. Ele nunca deu os motivos para essa recusa persistente, mas se contentava em aderir, de forma resoluta e inflexível, à sua determinação. Alguns o acusaram de ser morno em sua nova religião e outros o atribuíam à ganância por riquezas e relutância em aumentar as despesas. Outros, ainda, falavam sobre algum caso amoroso antigo e de uma garota de cabelos claros que havia morrido às margens do Atlântico. Qualquer que fosse o motivo, Ferrier permaneceu estritamente celibatário. Em todos os outros aspectos, ele se conformou com a religião do recente assentamento e ficou conhecido por ser um homem correto e ortodoxo.

Lucy Ferrier cresceu na cabana e ajudou seu pai adotivo em todos os seus empreendimentos. O ar fresco das montanhas e o odor balsâmico dos pinheiros assumiram o lugar de enfermeira e mãe para a jovem. Com o passar dos anos, ela ficou mais alta e mais forte, sua bochecha mais rosada e seu passo mais elástico. Muitos viajantes na estrada que ficava ao lado da fazenda de Ferrier reencontravam pensamentos esquecidos há muito tempo reviver em sua mente enquanto observavam sua figura feminina esgueirar-se pelos campos de trigo, ou a encontravam montada no cavalo de seu pai com toda a destreza e a graça de uma verdadeira filha do Oeste. E, assim, o broto floresceu em uma flor, e no mesmo ano em que o pai dela se tornou o mais rico dos fazendeiros, ela se tornou o mais belo exemplar de feminilidade americana que poderia se encontrar em toda a encosta do Pacífico.

No entanto não foi o pai que primeiro descobriu que a criança havia se transformado na mulher. Isso raramente acontece nesses casos. Essa mudança misteriosa é muito sutil e gradual para ser medida em datas. A própria moça não sabe até que o tom de uma voz ou o toque de uma mão acelera o seu coração e ela descobre, com uma mistura de orgulho e medo, que uma natureza nova e mais ampla despertou dentro dela. Há poucas que não se lembram do dia e do pequeno acontecimento que anunciaram o nascer de uma nova vida. No caso de Lucy Ferrier, a ocasião foi muito séria em si, além de sua futura influência em seu destino e de muitos depois.

Era uma manhã quente de junho e os Santos dos Últimos Dias estavam tão ocupados quanto as abelhas, cuja colmeia eles escolheram para ser seu emblema. Nos campos e nas ruas subiu o mesmo zumbido da indústria humana. Descendo as estradas empoeiradas, desfilavam longas filas de mulas carregadas, todas indo para o oeste, pois a febre do ouro havia irrompido na Califórnia e a Via Terrestre atravessava a Cidade dos Eleitos. Lá também estavam os rebanhos de ovelhas e bois que vinham dos pastos e numerosos grupos de imigrantes cansados, homens e cavalos igualmente desgastados de sua jornada interminável. Em meio a todo esse grupo heterogêneo, seguindo seu caminho com a habilidade de um cavaleiro experiente, Lucy Ferrier galopava, com seu rosto bonito, corado pelo exercício, e seus longos cabelos castanhos flutuando atrás dela. Ela tinha uma tarefa de seu pai para realizar na cidade e seguia como havia feito muitas vezes antes, com todo o destemor da juventude, pensando apenas em sua missão e em como deveria executá-la. Os aventureiros manchados pela viagem olhavam para ela espantados, e até mesmo os indiferentes índios, viajando com suas peles, afrouxavam seu estoicismo costumeiro enquanto se maravilhavam com a beleza da donzela de rosto pálido.

Ela havia chegado aos limites da cidade quando viu que a estrada estava bloqueada por uma grande boiada, conduzida por meia dúzia de pastores de aparência selvagem vindos das planícies. Em sua impaciência, ela tentou passar esse obstáculo ao forçar seu cavalo pelo que parecia ser uma brecha. No entanto, ela mal havia conseguido passar quando os animais vieram por trás dela, e ela se viu completamente imersa no fluxo contínuo de bois de olhos afiados e chifres longos. Acostumada a lidar com o gado, não ficou assustada com a situação, mas aproveitou todas as oportunidades para forçar seu cavalo na esperança de abrir caminho pela cavalgada. Infelizmente, os chifres de uma das criaturas, por acidente ou por destino, tocaram violentamente o flanco do cavalo e o agitaram ao nível da loucura. Em um segundo, o cavalo ergueu-se sobre as patas traseiras com um ronco de raiva, saltou e chacoalhou-se de uma forma que teria derrubado qualquer um, mesmo um cavaleiro mais hábil. A situação era muito perigosa. Cada mergulho do cavalo agitado o levava novamente a ser atingido pelos chifres, o que o agitava novamente. Tudo que a garota podia fazer era tentar manter-se sobre a sela, pois um deslize significaria uma morte terrível sob os cascos dos animais desajeitados e aterrorizados. Não habituada a lidar com emergências repentinas, sua cabeça começou a girar e ela afrouxou as mãos das rédeas. Sufocada pela nuvem crescente de poeira e pelo vapor das criaturas, ela teria abandonado sua luta por desespero, se não fosse uma voz gentil em seu cotovelo, que a ajudou. Ao mesmo tempo, uma mão marrom e firme segurou o cavalo aterrorizado pela barbela e, abrindo caminho através do rebanho, logo a levou para fora dali.

— Você não está ferida, espero, senhorita — disse seu protetor, avidamente.

— Estou terrivelmente assustada — disse ela, inocente. — Quem poderia imaginar que Poncho ficaria tão assustado com uma porção de bois?

— Graças a Deus você conseguiu ficar em seu lugar — disse o outro, com sinceridade. Ele era um rapaz alto, de aparência selvagem, vestido com as roupas ásperas de caçador, com um longo rifle nos ombros, montado num poderoso cavalo de crinas amareladas.

— Acho que você é a filha de John Ferrier — comentou ele. — Eu a vi descer de sua casa. Quando você o vir, pergunte se ele se lembra de Jefferson Hopes, de St. Louis. Se ele é o mesmo Ferrier, meu pai e ele eram muito amigos.

— Não é melhor você ir até lá e perguntar? — indagou, recatadamente.

O jovem pareceu satisfeito com a sugestão e seus olhos escuros brilharam de alegria.

— Farei isso — disse ele. — Nós estivemos nas montanhas durante dois meses, e não estamos em condição de fazer visitas. Ele deve nos aceitar como estamos.

— Ele tem muito a agradecer, e eu também — respondeu ela.

— Ele me ama muito. Se aqueles bois tivessem pisado em mim, ele nunca iria superar.

— Nem eu — disse o jovem.

— Você! Bem, eu não vejo em que isso faria muita diferença para você, de qualquer forma. Você nem é nosso amigo.

O rosto moreno do jovem caçador ficou tão melancólico com essa observação que Lucy Ferrier riu alto.

— Bem, não foi isso que eu quis dizer — observou. — É claro, você é um amigo agora. Você deve ir nos visitar. Agora, devo prosseguir ou meu pai não irá confiar seus negócios a mim nunca mais. Adeus!

— Adeus! — respondeu ele, levantando seu largo *sombrero* e curvando-se sobre a mão pequena da moça. Ela virou seu mustangue, deu um toque com seu chicote e partiu pela estrada larga em uma nuvem de poeira.

O jovem Jefferson Hope seguiu em frente com seus companheiros, sombrio e taciturno. Eles haviam estado entre as montanhas de Nevada em busca de prata e estavam voltando a Salt Lake City na esperança de levantar capital suficiente para trabalhar em alguns filões que haviam descoberto. Ele estava tão interessado quanto qualquer um deles no negócio até que esse incidente repentino atraiu seus pensamentos para outro caminho. A visão da bela jovem, tão clara e saudável quanto a brisa de Sierra, havia agitado até as profundezas de seu coração vulcânico e indomável. Quando ela desapareceu de sua vista, Jefferson percebeu que uma crise havia chegado em sua vida, e que nem as especulações sobre a prata nem quaisquer outras perguntas poderiam ter tanta importância para ele quanto esse novo e envolvente sentimento. O amor que havia despertado em seu coração não era a fantasia repentina e mutável de um menino, mas a paixão selvagem e feroz de um homem de vontade forte e temperamento arrogante. Ele estava acostumado a ter sucesso em tudo o que fazia. Então jurou em seu coração que não falharia nisso, caso o esforço e a perseverança humanos pudessem fazê-lo bem-sucedido.

    Ele visitou John Ferrier naquela noite e, muitas outras vezes, até que seu rosto se tornou familiar na casa da fazenda. John, confinado no vale e concentrado em seu trabalho, teve poucas oportunidades de saber o que acontecia no mundo exterior durante aqueles últimos doze anos. Jefferson Hope foi capaz de contar-lhe tudo, e em um estilo que interessou Lucy e seu pai. Ele havia sido um pioneiro na Califórnia e podia narrar muitas histórias estranhas sobre fortunas feitas e perdidas naqueles dias selvagens e felizes. Ele também havia sido escoteiro, caçador, explorador de prata e pecuarista. Onde quer que houvesse aventuras excitantes, lá estava Jefferson Hope em busca delas. Ele logo se tornou um amigo do velho fazendeiro, que falava com eloquência sobre suas virtudes. Em tais ocasiões, Lucy ficava em silêncio, mas a face ruborizada e os olhos brilhantes e felizes mostravam com muita clareza que seu coração jovem não pertencia mais a si mesma. Seu pai honesto pode não ter percebido esses sintomas, mas, certamente, não foram desperdiçados pelo homem que havia conquistado sua afeição.

    Era uma noite de verão quando ele veio galopando pela estrada e parou no portão. Ela estava na porta e desceu para encontrá-lo. Ele jogou as rédeas por cima da cerca e caminhou pela entrada.

— Estou indo embora por um tempo, Lucy — disse ele, segurando suas duas mãos entre as dele e olhando com ternura para o rosto dela. — Eu não vou pedir para você ir comigo agora, mas você estará pronta para me acompanhar quando eu estiver aqui de novo?

— E quando será isso? — perguntou ela, corando e rindo.

— Daqui a alguns meses. Eu voltarei e pedirei sua mão, minha querida. Ninguém pode ficar entre nós.

— E quanto ao meu pai? — questionou ela.

— Ele deu seu consentimento, contanto que consigamos fazer essas minas funcionarem bem. Não tenho receio quanto a isso.

— Ah, bem. É claro. Se você e meu pai já acertaram tudo, não há mais nada a ser dito — sussurrou ela, com seu rosto contra o peito largo do jovem.

— Graças a Deus! — disse ele, com voz rouca, inclinando-se e beijando-a. — Está resolvido, então. Quanto mais tempo eu demorar, mais difícil será ir embora. Eles estão esperando por mim no cânion. Adeus, minha querida. Adeus. Daqui a dois meses você me verá.

Ele se afastou enquanto falava e, montando em seu cavalo, galopou furiosamente, sem sequer olhar para trás, como se tivesse medo de que sua certeza o abandonasse caso visse o que estava deixando para trás. Ela continuou no portão, olhando para ele até que desaparecesse de sua vista. Então ela voltou para casa. Era a garota mais feliz de todo o Utah.

3

JOHN FERRIER FALA COM O PROFETA

TRÊS SEMANAS HAVIAM SE PASSADO desde que Jefferson Hope e seus companheiros haviam partido de Salt Lake City. O coração de John Ferrier ficava dolorido ao pensar no retorno do jovem e na iminente perda de sua filha adotiva. Ainda assim, o semblante brilhante e feliz de Lucy o deixava conformado a respeito de sua decisão mais que qualquer argumento seria capaz. Ele sempre determinou, no fundo de seu coração resoluto, que nada jamais o faria permitir que sua filha se casasse com um mórmon. Ele não o considerava com um casamento real, mas como uma vergonha e uma desgraça. O que quer que pensasse sobre as doutrinas dos mórmons, naquele ponto ele era inflexível. No entanto tinha de ficar calado sobre o assunto, pois expressar uma opinião não ortodoxa era algo perigoso naqueles dias na Terra dos Santos.

Sim, um assunto perigoso — tão perigoso que até mesmo os mais santos ousavam apenas sussurrar suas opiniões religiosas, pois algo que saísse de seus lábios poderia ser mal interpretado e atrair uma terrível punição a eles. As vítimas da perseguição agora tinham se tornado perseguidores por conta própria, e daqueles dos mais terríveis. Nem a Inquisição de Sevilha, nem a Liga da Corte

Sagrada alemã, nem as Sociedades Secretas da Itália foram capazes de reunir um maquinário tão formidável quanto aquele que ameaçava o estado de Utah.

Sua invisibilidade, e o mistério ligado a ela, tornava essa organização duplamente terrível. Ela aparentava ser onisciente e onipotente e, no entanto, nada era visto ou ouvido. O homem que se posicionara contra a Igreja desapareceu e ninguém sabia para onde havia ido ou o que havia acontecido a ele. Sua esposa e seus filhos o esperaram em casa, mas nenhum pai retornou para lhes contar como ele havia se saído nas mãos de seus juízes secretos. Uma palavra ou ação precipitadas eram seguidas por aniquilação, e ainda assim ninguém sabia qual era a natureza desse terrível poder que estava sobre eles. Não é de se admirar que os homens andassem com medo e tremendo, e que mesmo no coração do deserto eles não ousassem sussurrar as dúvidas que os oprimiam.

A princípio, esse poder vago e terrível era exercido apenas sobre os obstinados que, tendo abraçado a fé mórmon, desejavam depois pervertê-la ou abandoná-la. Logo, porém, tomou uma proporção maior. O suprimento de mulheres adultas estava acabando e a poligamia sem uma população feminina era, de fato, uma doutrina inútil. Rumores estranhos começaram a ser ouvidos — rumores de imigrantes assassinados e campos fuzilados em regiões onde os indígenas nunca haviam sido vistos. Novas mulheres apareciam nos haréns dos anciãos — mulheres que choravam e lamentavam, e exibiam em seus rostos os vestígios de um inexplicável horror. Viajantes atrasados nas montanhas falavam sobre gangues de homens armados, mascarados, furtivos e silenciosos, que passavam por eles na escuridão. Essas histórias e rumores tomaram força e forma, e foram corroborados e confirmados diversas vezes, até que se reuniram com um nome definido. Até hoje, nas fazendas solitárias do Oeste, o nome do grupo Os Danitas, ou Anjos Vingadores, é visto como algo sinistro e de mau presságio.

O mais profundo conhecimento da organização que produzia resultados tão terríveis serviu para aumentar, e não diminuir, o horror que inspirava na mente dos homens. Ninguém sabia quem pertencia a essa sociedade implacável. Os nomes dos participantes nos atos de sangue e violência em nome da religião foram mantidos em profundo segredo. O mesmo amigo a quem você se queixava sobre o profeta e sua missão poderia ser um dos que viriam à noite com fogo e espada para executar uma terrível punição. Portanto todos temiam seus vizinhos e ninguém falava aquilo que estava em seu coração.

Em uma certa manhã, John Ferrier estava prestes a sair para seus campos de trigo quando ouviu um barulho do trinco e, ao olhar pela janela, viu um homem robusto, cabelos cor de areia, de meia-idade, subindo pela entrada. Seu coração saltou em sua boca, pois se tratava do próprio Brigham Young. Tremendo — pois sabia que tal visita não lhe faria bem algum —, Ferrier correu até a porta para cumprimentar o líder mórmon. Este, no entanto, recebeu suas saudações friamente, e o seguiu com um semblante severo até a sala de estar.

— Irmão Ferrier — disse ele, sentando-se e olhando para o fazendeiro firmemente, com seus olhos sob os cílios claros. — Os verdadeiros crentes têm sido bons amigos para você. Nós o acolhemos quando você estava desfalecendo de fome no deserto, dividimos nossa comida com você, o guiamos em segurança até o Vale Escolhido, lhe demos um bom pedaço de terra e permitimos que enriquecesse sob nossa proteção. Não foi assim?

— É assim — respondeu John Ferrier.

— Tudo o que pedimos em troca disso foi uma condição: que você abraçasse a verdadeira fé e se ajustasse aos seus costumes em todos os aspectos. Você prometeu e, se os relatórios são verdade, nisso você falhou.

— E como falhei? — perguntou Ferrier, balançando as mãos em discordância. — Eu não contribuí para o fundo comum? Eu não frequentei o Templo? Eu não...

— Onde estão suas esposas? — perguntou Young, olhando ao redor. — Chame-as, para que eu possa cumprimentá-las.

— É verdade que não me casei — afirmou Ferrier. — Mas há poucas mulheres, e várias delas tinham pretendentes melhores do que eu. Eu não era um homem solitário. Sempre tive minha filha para fazer minhas vontades.

— E é sobre essa filha que eu gostaria de falar com você — disse o líder dos mórmons. — Ela cresceu e se tornou a flor de Utah e é valorizada por muitos homens importantes no território.

John Ferrier gemeu por dentro.

— Há histórias sobre ela que eu me recuso a acreditar, histórias de que ela está prometida a um gentil. Isso deve ser fofoca de más--línguas. Qual é a terceira regra do código do santo Joseph Smith? "Toda donzela de verdadeira fé deve casar-se com um dos eleitos; pois, se casar-se com um gentil, comete um pecado grave". Sendo assim, é impossível que você, que professa o santo credo, pudesse forçar sua filha a violá-lo.

John Ferrier não respondeu, mas começou a mexer com seu chicote de maneira nervosa.

— Sobre esse ponto, toda a sua fé será testada, assim foi decidido por nosso Concílio Sagrado dos Quatro. A garota é jovem e não a obrigaríamos a casar com idosos, nem a privaríamos de sua escolha. Nós, anciãos, temos muitos novilhos, mas nossos filhos também precisam ser servidos. Stangerson tem um filho e Drebber tem um filho, e os dois ficariam felizes em receber sua filha na casa deles. Deixe que ela escolha entre eles. Eles são jovens e ricos, e todos de fé verdadeira. O que você diz sobre isso?

Ferrier permaneceu em silêncio por algum tempo, com suas sobrancelhas enrugadas.

— Você nos dará algum tempo — disse ele, enfim. — Minha filha é muito jovem. Ela mal está na idade de se casar.

— Ela terá um mês para escolher — declarou Young, levantando--se de seu assento. — Ao fim desse período, ela deve dar sua resposta.

Ele estava passando pela porta quando retornou, com o rosto corado e olhos brilhantes:

— Teria sido melhor para vocês, John Ferrier — esbravejou —, que fossem agora ossos embranquecidos, sobre o solo de Sierra Blanco, do que colocar sua frágil vontade contra as ordens dos Quatro Santos!

Com um gesto ameaçador, passou pela porta, e Ferrier ouviu seus passos pesados ao longo do caminho.

Ele ainda estava sentado com os cotovelos apoiados nos joelhos, pensando em como ele deveria abordar o assunto para sua filha, quando uma mão macia foi colocada sobre a dele, e, olhando para cima, ele a viu em pé ao lado dele. Um olhar para seu rosto pálido e assustado mostrou-lhe que Lucy tinha ouvido o que acontecera.

— Eu não pude evitar — disse ela, em resposta ao seu olhar. — Sua voz ecoou pela casa. Pai, pai, o que faremos?

— Não tenha medo — respondeu ele, puxando-a para si, a mão larga e áspera acariciando seu cabelo castanho. — Vamos resolver de uma forma ou de outra. Você não acha que deve se rebaixar por esse sujeito, não é?

Um soluço e um aperto de mão foram sua única resposta.

— Não, claro que não. Eu não deveria me importar em ouvir você dizer que sim. Ele é um rapaz agradável, e é um cristão, que é mais do que podemos dizer desses homens aqui, apesar de toda a sua oração e pregação. Há um grupo a caminho de Nevada amanhã e eu vou mandar uma mensagem para ele saber o buraco em que estamos. Se eu conheço um pouco sobre aquele jovem, ele estará de volta com uma velocidade que superaria um telégrafo.

Lucy riu em meio às lágrimas pela descrição do pai.

— Quando vier, ele nos aconselhará pelo melhor. Mas é por você que estou com medo, querido. Contam histórias terríveis sobre aqueles que se opõem ao profeta: algo terrível sempre acontece com eles.

— Mas ainda não nos opusemos a ele — respondeu o pai. — Será a hora de se preocupar quando o fizermos. Temos um mês inteiro diante de nós; ao final disso, acho que teremos mais chances fora de Utah.

— Deixar Utah?

— Exatamente isso.

— Mas e a fazenda?

— Vamos juntar o quanto pudermos de dinheiro e abandonar o resto. Para falar a verdade, Lucy, não é a primeira vez que penso em fazer isso. Eu não gosto de me submeter a nenhum homem, como essas pessoas fazem ao seu profeta maldito. Eu sou um americano nascido livre e tudo isso é novo para mim. Acho que sou velho demais para aprender. Se vier vasculhando a fazenda, ele pode se deparar com uma carga de chumbo grosso viajando na direção oposta.

— Mas eles não nos deixarão sair — protestou a filha.

— Espere até Jefferson voltar e logo resolveremos tudo. Enquanto isso, não se preocupe, minha querida, e não chore, senão ele irá contra mim ao ver você. Não há nada a temer e não há perigo algum.

John Ferrier teceu esses comentários reconfortantes em um tom muito confiante, porém Lucy não pôde deixar de notar que ele teve um cuidado incomum com a trava das portas naquela noite, e que limpou e carregou cuidadosamente a espingarda enferrujada que estava pendurada na parede de seu quarto.

4
UMA FUGA PELA VIDA

NA MANHÃ SEGUINTE À CONVERSA COM O PROFETA MÓRMON, John Ferrier foi para Salt Lake City e, ao encontrar seu conhecido que seguia para as montanhas de Nevada, confiou a ele sua mensagem para Jefferson Hope. Nela, contava ao jovem sobre o iminente perigo que os ameaçava e como era necessário que ele retornasse. Feito isso, ele se sentiu mais tranquilo e voltou para casa com o coração mais leve.

Ao se aproximar de sua fazenda, ficou surpreso ao ver um cavalo preso a cada um dos postes de seu portão. Ele ficou ainda mais surpreso ao entrar e ver dois jovens em sua sala de estar. Um deles, com o rosto longo e pálido, estava inclinado em uma cadeira de balanço, com seus pés sobre o fogão. O outro, um jovem com o pescoço grosso, de características grosseiras e inchadas, estava em pé diante da janela, com suas mãos nos bolsos, assobiando um hino popular. Ambos acenaram para Ferrier quando ele entrou, e o que estava na cadeira de balanço iniciou a conversa.

— Talvez você não nos conheça — disse. — Esse aqui é o filho do Ancião Drebber e eu sou Joseph Stangerson, que viajou com você pelo deserto quando o Senhor estendeu Sua mão e o reuniu com o rebanho verdadeiro.

— Como Ele fará com todas as nações em Seu devido tempo — disse o outro, com uma voz anasalada. — Ele trabalha lentamente, mas a obra Dele é excelente.

John Ferrier curvou-se de maneira fria. Ele havia deduzido quem eram os seus visitantes.

— Viemos aqui — continuou Stangerson — sob o conselho de nossos pais para pedir a mão de sua filha para qualquer um de nós que parecer bom para ela e para você. Como eu tenho apenas quatro esposas, e o Irmão Drebber aqui tem sete, parece que meus argumentos são mais fortes.

— Não, não, Irmão Stangerson — exclamou o outro. — A questão não é quantas esposas nós temos, mas quantas podemos sustentar. Meu pai deu-me seus moinhos e eu sou o mais rico.

— Mas minhas perspectivas são melhores — disse o outro, com calma. — Quando o Senhor levar meu pai, herdarei seu curtume e sua fábrica de couro. E sou mais velho que você, e em posição mais elevada na Igreja.

— A moça deve decidir — alegrou-se o jovem Drebber, sorrindo com malícia para seu próprio reflexo no vidro. — Devemos deixar que ela decida tudo.

Durante esse diálogo, John Ferrier permaneceu fumando na entrada da casa, mal contendo seu chicote longe das costas dos dois visitantes.

— Vejam bem — disse ele, enfim. — Quando minha filha os chamar, vocês podem vir, mas até lá não quero vê-los novamente.

Os dois jovens mórmons o encararam, pasmos. Aos seus olhos, essa competição entre eles pela mão da moça era a mais alta honra tanto para ela quanto para seu pai.

— Há duas saídas da sala! — gritou Ferrier. — Há a porta e janela. Qual vocês preferem?

Seu rosto marrom parecia tão feroz e suas mãos magras tão ameaçadoras, que seus visitantes saltaram e bateram em retirada. O velho fazendeiro os seguiu até a porta.

— Avisem-me quando decidirem qual das duas será — disse, ironicamente.

— Você sofrerá por isso! — ameaçou Stangerson, irado. — Você desafiou o profeta e o Concílio dos Quatro. Você irá se lamentar até o fim dos seus dias!

— A mão do Senhor irá pesar sobre você! — bradou o jovem Drebber. — Ele se levantará e o castigará!

— Então eu começarei o castigo — exclamou Ferrier, furioso, e teria corrido pelas escadas para pegar sua arma se Lucy não o houvesse segurado pelo braço e o impedido. Antes que ele conseguisse escapar de suas mãos, o som dos cascos dos cavalos o mostrou que eles já estavam fora de seu alcance.

— Aqueles malandros hipócritas! — gritou, secando o suor de sua testa. — Eu prefiro vê-la em seu túmulo, minha menina, do que como esposa de um deles!

— Eu também, pai — respondeu ela, com convicção. — Mas Jefferson chegará logo.

— Sim. Não demorará muito. Quanto antes, melhor, pois não sabemos qual será o próximo passo deles.

Já era, de fato, hora de alguém capaz de aconselhar e ajudar viesse em socorro do velho fazendeiro e de sua filha adotiva. Em toda a história do assentamento, nunca houve um caso de tanta desobediência à autoridade dos anciãos. Se pequenos erros eram punidos com tanta severidade, qual seria o destino desse grande rebelde? Ferrier sabia que sua riqueza e posição não lhe valeriam nada. Outros, tão conhecidos e ricos quanto ele, haviam sido levados e seus bens entregues à Igreja. Ele era um homem corajoso, mas tremia com os terrores vagos e sombrios que pairavam sobre ele. Qualquer perigo conhecido ele poderia enfrentar com um lábio firme, mas esse suspense era angustiante. Ele escondeu seus medos de sua filha, no entanto, e conseguiu trazer luz para o assunto, embora ela, com o olhar aguçado do amor, visse claramente que ele estava agitado.

Ele esperava receber alguma mensagem ou protesto de Young quanto à sua conduta, e ele não estava enganado, embora tenha chegado de maneira inesperada. Ao levantar-se na manhã seguinte, encontrou, para sua surpresa, um pequeno quadrado de papel pregado no cobre-leito de sua cama, bem sobre o peito. Nele, estava impresso, em letras fortes e espalhadas:

Vinte e nove dias são dados a você para reparação, e então...

As reticências foram mais amedrontadoras que qualquer ameaça poderia ter sido. Como esse alerta havia chegado a seu quarto o intrigou profundamente, pois seus criados dormiam em uma casa externa e as portas e janelas estavam todas trancadas. Ele amassou o papel e não disse nada para sua filha, mas o incidente provocou um calafrio em seu coração. Os vinte e nove dias eram evidentemente o saldo do mês que Young havia prometido. Que força ou coragem poderia valer contra um inimigo armado com poderes tão misteriosos? A mão que havia prendido aquele alfinete poderia tê-lo golpeado no coração e ele nunca saberia quem o havia matado.

Na manhã seguinte, ele ficou ainda mais abalado. Eles se sentaram para o café da manhã quando Lucy, com um grito de surpresa, apontou para cima. No centro do teto estava rabiscado, aparentemente com um graveto queimado, o número 28. Para a filha era ininteligível, e John não explicou. Naquela noite, ele se sentou com sua arma e ficou vigiando e em guarda. Ele não viu e não ouviu nada, mas, mesmo assim, de manhã, um grande número 27 havia sido pintado do lado de fora de sua porta.

Assim foi dia após dia e, tão certo como chegava a manhã, ele descobria que seus inimigos invisíveis continuavam com seu registro, e haviam feito sua marca em algum lugar visível com quantos dias ainda lhe restavam do mês oferecido. Às vezes, os números fatais apareciam nas paredes; às vezes, no chão; ocasionalmente, em pequenos cartazes colados no portão do jardim ou nas grades. Mesmo com toda a sua vigilância, John Ferrier não conseguia descobrir de onde vinham tais avisos diários. Um horror quase supersticioso vinha sobre ele ao vê-los. Ficou abatido e inquieto, e seus olhos tinham o olhar perturbado de uma criatura caçada. Ele tinha apenas uma esperança na vida agora, e era a chegada do jovem caçador de Nevada.

O vinte mudou para quinze e o quinze, para dez, mas não houve notícias daquele que estava ausente. Um a um, os números diminuíam, e ainda não havia sinal dele. Sempre que um cavaleiro atravessava a estrada, ou um cocheiro gritava para sua equipe, o velho fazendeiro corria até o portão, pensando que a ajuda finalmente havia chegado. Então, quando viu o cinco dar lugar ao quatro que, por sua vez, virou três, perdeu sua fé e abandonou toda a esperança de escapar. Sozinho, e com seu conhecimento limitado das montanhas que cercavam o assentamento, ele sabia que seria inútil. As estradas mais frequentadas eram estritamente vigiadas e guardadas, e ninguém conseguia passar por elas sem uma ordem do Concílio. Por qualquer caminho que fosse, parecia não haver como evitar o golpe que pairava sobre ele. No entanto o velho nunca hesitou em sua resolução de perder sua vida antes de consentir com o que considerava ser a desonra de sua filha.

Certa noite, estava sentado sozinho, ponderando sobre seus problemas e buscando, em vão, uma saída deles. Naquela manhã havia aparecido o número 2 sobre a parede de sua casa, e o dia seguinte seria o último do período determinado. O que iria acontecer? Todas as formas de fantasias vagas e terríveis ocupavam sua imaginação. E sua filha — o que seria dela depois que ele se fosse? Não havia como escapar da teia invisível que fora armada ao redor deles. Então ele afundou a cabeça sobre a mesa e chorou ao pensar em sua própria impotência.

O que era aquilo? No silêncio, ele ouviu um som leve de arranhado — baixo, mas muito claro, no silêncio da noite. Vinha da porta da casa. Ferrier caminhou até a entrada e ouviu atentamente. Houve uma pausa por alguns momentos, e então o som baixo se repetiu. Alguém estava claramente batendo em uma das folhas da porta. Seria algum assassino noturno que estava lá para cumprir as ordens assassinas do tribunal secreto? Ou era algum agente que estava marcando que o último dia do prazo havia chegado. John Ferrier sentiu que a morte instantânea seria melhor que o suspense que abalava seus nervos e inquietava o seu coração. De uma vez, abriu a porta. Do lado de fora, tudo estava calmo e quieto. A noite estava agradável e as estrelas brilhavam forte no céu. O pequeno jardim na frente da casa estava diante dos olhos do fazendeiro, rodeado pela cerca e pelo portão, mas nem ali, nem na estrada, havia qualquer ser humano para ser visto. Com um suspiro de alívio, Ferrier olhou para a direita e para a esquerda, até que olhou para seus próprios pés e viu, para sua surpresa, um homem deitado de bruços sobre o chão, com os braços e pernas esticados.

Ele estava tão nervoso com aquela visão que se inclinou contra a parede com sua mão na garganta para segurar sua vontade de gritar. Seu primeiro pensamento foi que a figura prostrada era um homem ferido ou moribundo, mas enquanto olhava, ele o viu retorcer-se pelo chão, para dentro do corredor, com a rapidez e o silêncio de uma serpente. Quando entrou na casa, o homem ficou em pé, fechou a porta e, para a surpresa do fazendeiro, revelou-se o rosto ávido e resoluto de Jefferson Hope.

— Bom! Bom! — falou John Ferrier. — Como você me assustou! O que fez você entrar dessa forma?

— Me dê comida — disse o outro, rouco. — Eu não tive tempo de comer ou beber nas últimas nove horas. — Então, ele lançou-se sobre a carne e o pão que ainda estavam sobre a mesa do jantar de seu anfitrião e os devorou vorazmente. — Lucy está aguentando bem? — perguntou, após satisfazer sua fome.

— Sim. Ela não conhece o perigo — respondeu seu pai.

— Isso é bom. A casa está vigiada por todos os lados. É por isso que eu me arrastei até aqui. Eles podem ser bem espertos, mas não são espertos o bastante para pegar um caçador washoe[4].

John Ferrier sentiu-se um homem diferente agora que sabia que tinha um aliado devoto ao seu lado. Ele segurou a mão áspera do jovem e apertou-a, cordialmente.

— Você é um homem de quem podemos nos orgulhar — ele disse. — Não existem muitos que viriam aqui para compartilhar nosso perigo e nossas aflições.

— Você falou bem, parceiro — respondeu o jovem caçador. — Eu tenho respeito por você, mas se você estivesse sozinho nesse negócio, eu pensaria duas vezes antes de colocar minha cabeça em tamanho vespeiro. É Lucy que me trouxe até aqui, e antes que algo aconteça a ela, acho que teremos um a menos na família Hope de Utah.

— O que faremos?

— Amanhã é seu último dia, e a menos que você esteja pensando em agir esta noite, você está perdido. Tenho uma mula e dois cavalos esperando no Desfiladeiro da Águia. Quanto dinheiro você tem?

— Dois mil dólares em ouro, e cinco em notas.

— Isso é o bastante. Eu tenho um pouco mais para acrescentar a isso. Devemos ir para a Cidade Carson pelas montanhas. É melhor você acordar Lucy. E é bom que os criados não durmam na casa.

Enquanto Ferrier se ausentou, preparando sua filha para a jornada que se aproximava, Jefferson Hope embrulhou todos os alimentos que conseguiu encontrar em um pequeno pacote e encheu um jarro de pedra com água, pois ele sabia, por experiência, que os poços nas montanhas eram escassos e espalhados. Mal havia acabado suas arrumações quando o fazendeiro retornou com sua

---

[4] Washoe é uma cidade-fantasma dos Estados Unidos. (N.T.)

filha, vestidos e prontos para sair. O cumprimento entre os amantes foi caloroso, mas breve, pois os minutos eram preciosos, e havia muito a ser feito.

— Devemos partir logo — anunciou Jefferson Hope, falando em uma voz baixa, mas resoluta, como alguém que reconhece a grandeza do perigo, mas que protegeu seu coração para enfrentá--lo. — As entradas da frente e dos fundos estão vigiadas, porém, com cuidado, talvez consigamos passar pela janela lateral e pelos campos. Quando chegarmos à estrada, estaremos apenas a poucos quilômetros do desfiladeiro, onde os cavalos estão esperando. Ao raiar do dia já estaremos na metade do caminho pelas montanhas.

— E se formos parados? — perguntou Ferrier.

Hope tocou no revólver que estava na frente de sua túnica.

— Se forem numerosos demais para nós, levaremos dois ou três conosco — falou, com um sorriso sinistro.

As luzes da casa haviam sido apagadas e, da janela escura, Ferrier olhou para os campos que haviam sido seus e que agora estava prestes a abandonar para sempre. Já havia se preparado há muito tempo para esse sacrifício, e pensar na honra e na felicidade de sua filha superava qualquer arrependimento de sua fortuna arruinada. Tudo parecia tão feliz e em paz — o sussurro das árvores e o arranhar silencioso do trigo — que era difícil perceber que o espírito da morte estava sobre tudo. Ainda assim, o rosto pálido e a expressão firme do jovem caçador demonstravam que, em sua chegada à casa, ele havia visto o suficiente para satisfazê-lo em seu pensamento.

Ferrier carregava a sacola de ouro e cédulas, Jefferson Hope tinha os suprimentos e a água, enquanto Lucy carregava um pequeno pacote contendo alguns de seus bens mais valiosos. Abrindo a janela lentamente e com muito cuidado, eles esperaram até que uma nuvem negra encobrisse a noite e, então, um por um, passaram pelo pequeno jardim. Sem respirar e agachados, tropeçaram e encontraram abrigo na cerca, que contornaram até chegar à fenda que se abria para os campos de milho. Haviam acabado de chegar a esse ponto quando o jovem agarrou seus dois companheiros e os arrastou para a sombra, onde ficaram em silêncio e tremendo.

Foi algo bom que o treinamento de Jefferson Hope no campo lhe houvesse dado os ouvidos de um lince. Ele e seus amigos mal haviam se abaixado quando o pio de uma coruja da montanha foi ouvido a poucos metros deles, o que foi imediatamente respondido por outro pio a uma pequena distância. No mesmo momento, uma vaga figura sombria emergiu da brecha por onde eles iriam passar e emitiu o sinal melancólico de novo, e um segundo homem surgiu da escuridão.

— Amanhã, à meia-noite — disse o primeiro, que parecia estar no comando. — Quando o pássaro cantar três vezes.

— Tudo bem — respondeu o outro. — Devo dizer ao Irmão Drebber?

— Passe para ele e dele para os outros. Nove e sete!

— Sete e cinco! — repetiu o outro, e as duas figuras se afastaram em direções diferentes. Suas palavras finais, evidentemente, tinham sido alguma forma de sinal e resposta. No instante em que seus passos desapareceram ao longe, Jefferson Hope ficou em pé e ajudou seus companheiros a atravessarem a brecha, liderando o caminho pelos campos a toda velocidade, apoiando e quase carregando a garota quando sua força parecia falhar com ela.

— Depressa! Depressa! — falava de vez em quando. — Estamos passando pela linha de sentinelas. Tudo depende da velocidade. Depressa!

Quando chegaram na estrada, progrediram rapidamente. Eles encontraram alguém apenas uma vez, e então conseguiram entrar em um campo e, assim, evitar serem reconhecidos. Antes de chegarem à cidade, o caçador infiltrou-se em um caminho estreito e acidentado que levava às montanhas. Dois picos escuros e irregulares pairavam acima deles pela escuridão, e o desfiladeiro entre eles era o Cânion Águia, no qual os cavalos os esperavam. Com um instinto infalível, Jefferson Hope abriu o caminho entre as grandes rochas e ao longo do leito de um córrego seco, até chegar ao ponto mais distante, protegido por pedras, onde os fiéis animais haviam sido colocados. A garota foi colocada sobre a mula e o velho Ferrier em um dos cavalos, com seu saco de dinheiro, enquanto Jefferson Hope conduzia o outro pelo caminho íngreme e perigoso.

Era uma rota confusa para qualquer um que não estivesse acostumado a enfrentar a natureza em seu humor selvagem. De um lado, um grande penhasco se elevava a trezentos metros ou mais, escuro, austero e ameaçador, com longas colunas de basalto sobre sua superfície áspera, como as costelas de algum monstro petrificado. Do outro lado, um caos selvagem de pedregulhos e escombros tornava impossível avançar. Entre os dois corria uma trilha irregular, tão estreita em alguns lugares que eles precisaram viajar em fila indiana, e tão acidentado que apenas os cavaleiros mais habilidosos conseguiam passar por ele. No entanto, apesar de todos os perigos e dificuldades, os corações dos fugitivos estavam leves, pois cada passo aumentava a distância entre eles e o terrível despotismo do qual fugiam.

Mas logo tiveram uma prova de que ainda estavam dentro da jurisdição dos Santos. Eles alcançaram a porção mais selvagem e desolada do desfiladeiro quando a jovem deu um grito de surpresa e apontou para cima. Em uma rocha da qual tinham uma perspectiva ampla sobre o caminho, aparecendo escuro e plano contra o céu, havia uma sentinela solitária. Ele os viu e seu questionamento militar de "Quem está aí?" soou pelo desfiladeiro silencioso.

— Viajantes para Nevada — respondeu Jefferson Hope, com a mão no rifle pendurado em sua sela.

Eles podiam ver o observador solitário manuseando sua arma e olhando para eles como se não estivesse satisfeito com a resposta.

— Com a permissão de quem? — perguntou.

— Os Quatro Santos — respondeu Ferrier. Suas experiências mórmons lhe ensinaram que essa era a mais alta autoridade à qual ele poderia se referir.

— Nove e sete — gritou o sentinela.

— Sete e cinco — respondeu Jefferson Hope prontamente, lembrando-se da contrassenha que havia escutado no jardim.

— Passem, e que o Senhor vá com vocês — falou a voz no alto. Além desse ponto, o caminho se alargou e os cavalos conseguiram entrar em trote. Olhando para trás, puderam ver o observador solitário apoiado em sua arma e sabiam que haviam passado pelo mais afastado posto de vigia do povo escolhido, e que a liberdade estava diante deles.

5
OS ANJOS VINGADORES

DURANTE TODA A NOITE passaram por desfiladeiros intrincados e por caminhos irregulares e repletos de pedras. Eles se perderam mais de uma vez, contudo, o conhecimento interior de Hope sobre as montanhas permitia que eles encontrassem a trilha novamente. Quando a manhã rompeu, um cenário de maravilhosa beleza, embora selvagem, abriu-se diante deles. Em todas as direções, os grandes picos cobertos de neve os cercavam, espreitando sobre seus ombros até o horizonte distante. As paredes rochosas ao lado deles eram tão íngremes que os lariços e os pinheiros pareciam estar suspensos sobre suas cabeças e que precisavam apenas de uma brisa para os derrubar sobre eles. Esse medo não era inteiramente uma ilusão, pois o vale estéril estava repleto de árvores e rochas que haviam caído de forma parecida. Mesmo enquanto eles passavam, uma grande rocha começou a cair, com um barulho rouco que despertou os ecos nas gargantas silenciosas e fez os cavalos cansados partirem em um galope.

Enquanto o Sol nascia vagarosamente sobre o horizonte ao leste, os topos das montanhas acendiam, um após o outro, como lanternas em um festival, até ficarem todos rosados e brilhantes. O espetáculo magnífico animou o coração dos três fugitivos e os deu uma nova disposição. Em uma corrente selvagem que varreu um barranco, eles pararam e deram água para seus cavalos, enquanto tomavam um café da manhã apressado. Lucy e seu pai gostariam de ter descansado mais, porém Jefferson Hope estava inflexível.

— Eles estão a nossa procura neste momento — disse. — Tudo depende da nossa velocidade. Uma vez seguros em Carson, poderemos descansar pelo resto de nossas vidas.

Durante todo aquele dia lutaram através dos desfiladeiros e, ao anoitecer, calcularam que estavam a mais de 50 quilômetros de seus inimigos. À noite, escolheram a base de um rochedo, onde as pedras ofereciam alguma proteção contra o vento frio, e, amontoados em busca de calor, desfrutaram de algumas horas de sono. Antes do amanhecer, no entanto, eles estavam de pé e em seu caminho mais uma vez. Eles não viram sinais de nenhum perseguidor e Jefferson Hope começou a pensar que eles estavam razoavelmente fora do alcance da terrível organização cuja inimizade haviam atraído. Mal sabia ele quão longe aquela garra de ferro poderia alcançar, ou quão rápido ela iria se fechar sobre eles para esmagá-los.

Por volta da metade do segundo dia de sua fuga, o estoque escasso de suprimentos começou a se esgotar. Isso incomodou pouco o caçador, pois havia animais para caça entre as montanhas e ele, muitas vezes, havia dependido de seu rifle para as necessidades da vida. Escolhendo um canto bem protegido, ele juntou alguns galhos secos e fez uma fogueira, na qual seus companheiros podiam se aquecer, pois estavam agora a quase dois mil metros acima do nível do mar, e o ar era amargo e rarefeito. Depois de amarrar os cavalos e despedir-se de Lucy, ele jogou a arma por cima do ombro e partiu em busca de qualquer coisa que a sorte pudesse lançar em seu caminho. Ao olhar para trás, viu o velho e a jovem agachando-se perto do fogo ardente, enquanto os três animais permaneciam imóveis ao fundo. Então as pedras os esconderam de sua vista.

Caminhou por alguns quilômetros, ravina após a outra, sem sucesso, embora, pelas marcas na casca das árvores e outras indicações, ele julgasse que havia numerosos ursos nas proximidades. Finalmente, após duas ou três horas de busca infrutífera, estava pensando em voltar em desespero, quando, ao olhar para cima, viu uma cena que despertou um sentimento de satisfação em seu coração. Na beira de um pináculo saliente, a cerca de duzentos ou quatrocentos metros acima dele, estava uma criatura parecida com uma ovelha, mas armada com um par de chifres gigantescos. O grande chifre — pois é chamado assim — estava agindo, provavelmente, como o guardião de um bando que era invisível para o caçador, mas que, felizmente, estava indo na direção oposta e não o havia percebido. Deitado de bruços, ele apoiou o rifle sobre uma pedra e fixou o alvo por um tempo antes de puxar o gatilho. O animal saltou no ar, cambaleou por um momento à beira do precipício e depois desabou no vale abaixo.

A criatura era desajeitada demais para ser erguida, então o caçador se contentou em cortar uma perna e parte do flanco. Com esse troféu por cima do ombro, apressou-se em refazer seus passos, pois a noite já estava chegando. Mal havia começado quando percebeu a dificuldade que se apresentava. Em sua ansiedade, havia caminhado muito além das ravinas que eram conhecidas por ele, então não era uma tarefa fácil escolher o caminho que havia percorrido. O vale em que estava se dividia e subdividia em muitos caminhos, que eram tão parecidos que era impossível distinguir um do outro. Ele seguiu um por mais de um quilômetro ou mais até chegar a uma cadeia de montanhas que tinha certeza de nunca ter visto antes. Convencido de que havia tomado a direção errada, tentou outra, mas com o mesmo resultado. A noite estava chegando rapidamente e estava quase escuro quando, finalmente, encontrou-se em um desfiladeiro que lhe era familiar. Mesmo assim, não foi fácil manter o caminho certo, pois a Lua ainda não havia surgido e os altos penhascos de ambos os lados tornavam a escuridão mais profunda. Pesando com seu fardo e cansado de seus esforços, ele tropeçava, animando seu coração com o pensamento de que cada passo o aproximava de Lucy, e que ele carregava consigo o suficiente para garantir-lhes comida para o resto de sua jornada.

Agora havia chegado à entrada do mesmo desfiladeiro em que os havia deixado. Mesmo na escuridão, conseguia reconhecer o contorno dos penhascos que o delimitavam. Pensou que deveriam estar esperando ansiosamente por ele, pois estava fora havia quase cinco horas. Na alegria de seu coração, colocou as mãos na boca e fez o vale ecoar em um alto uivo, como um sinal de que ele estava chegando. Então parou para ouvir uma resposta. Ninguém respondeu ao seu grito, que alcançou as sombrias e silenciosas ravinas, e voltou para ele em incontáveis repetições. Mais uma vez ele gritou, ainda mais alto que antes, e novamente nem mesmo um sussurro voltou dos amigos a quem ele havia deixado tão pouco tempo atrás. Um pavor vago e sem nome tomou conta dele, que correu para frente freneticamente, deixando cair a preciosa comida em sua agitação.

Quando fez uma curva, teve a visão completa do local onde o fogo havia sido aceso. Ainda havia uma pilha de cinzas brilhantes ali, mas, com certeza, não havia sido alimentada desde sua partida. O mesmo silêncio mortal ainda reinava ao seu redor. Com seus medos sendo transformados em convicções, correu. Não havia nenhuma criatura viva ao redor do fogo: animais, homem, moça, todos haviam ido embora. Estava claro que algum desastre repentino e terrível havia ocorrido durante sua ausência — um desastre que atingira a todos e, ainda assim, não havia deixado rastros.

Confuso e atordoado por esse golpe, Jefferson Hope sentiu a cabeça girar e teve que se apoiar em seu rifle para não cair. No entanto ele era essencialmente um homem de ação e rapidamente se recuperou de sua impotência temporária. Aproveitando um pedaço de madeira um pouco consumida pelo fogo, soprou-a em chamas e continuou com sua ajuda para examinar o pequeno acampamento. O chão estava todo marcado pelos cascos dos cavalos, mostrando que um grande grupo de homens montados havia levado os fugitivos, e a direção de seus rastros provava que haviam voltado para

Salt Lake City. Eles haviam carregado seus dois companheiros com eles? Jefferson Hope quase se convenceu de que deviam ter feito isso, quando seus olhos caíram sobre um objeto que fez cada nervo de seu corpo formigar dentro dele. Um pouco afastado do acampamento, havia um monte de terra avermelhada que com certeza não estava ali antes. Não havia como confundi-la com qualquer coisa que não fosse um túmulo recém-cavado. Quando o jovem caçador se aproximou, percebeu que havia um graveto sobre ele, com uma folha de papel presa no espaço de uma fenda. A inscrição no papel era breve, mas direta:

JOHN FERRIER,
ANTIGO MORADOR DE SALT LAKE CITY,
Morto em 4 de agosto de 1860.

O velho forte, a quem ele havia deixado há tão pouco tempo, estava morto, e esse era todo o seu epitáfio. Jefferson Hope olhou descontroladamente ao redor para ver se havia um segundo túmulo, mas não havia nem sinal. Lucy havia sido levada de volta por seus terríveis perseguidores para cumprir seu destino original, tornando-se mais uma nos haréns do filho do ancião. Quando o jovem percebeu a certeza de seu destino e sua impotência em impedi-lo, desejou que ele também estivesse deitado com o velho fazendeiro em seu último local de descanso silencioso. No entanto, mais uma vez, seu ávido espírito abandonou a letargia proveniente do desespero. Se não havia mais nada para ele, poderia pelo menos dedicar sua vida à vingança. Com paciência e perseverança indomáveis, Jefferson Hope também possuía um poder de vingança, que devia ter adquirido com os índios entre os quais ele havia vivido. Enquanto permanecia junto ao fogo extinguido, sentiu que a única coisa que poderia aliviar sua dor seria uma minuciosa e completa retribuição, proveniente de sua própria mão sobre seus inimigos. Sua vontade forte e energia incansável deveriam, determinou ele, ser dedicadas a esse objetivo. Com o rosto sombrio e pálido, refez os passos até onde havia abandonado a comida e, depois de ter agitado o fogo, cozinhou o suficiente para durar por alguns dias. Com isso, fez um pacote e, cansado como estava, obrigou-se a caminhar de volta pelas montanhas, seguindo a trilha dos anjos vingadores.

Durante cinco dias caminhou com os pés machucados e cansados pelos desfiladeiros que havia passado a cavalo. Durante a noite, ele se lançava entre as rochas e conseguia algumas horas de sono; mas antes de o dia nascer, ele já estava em seu caminho novamente. No sexto dia, ele alcançou o Cânion da Águia, o ponto onde haviam começado sua malfadada fuga. Dali ele poderia olhar para a casa dos santos. Desgastado e exausto, ele se apoiou em seu rifle e sacudiu a mão magra ferozmente em direção à silenciosa cidade espalhada abaixo dele. Ao olhar para ela, observou que havia bandeiras em algumas das ruas principais e outros sinais de festa. Ele ainda estava especulando o que isso poderia significar quando ouviu o barulho dos cascos dos cavalos e viu um homem montado indo em sua direção. Conforme ele se aproximava, o caçador o reconheceu como um mórmon chamado Cowper, a quem prestou serviços em épocas diferentes. Ele, portanto, abordou-o quando se aproximou dele, com o objetivo de descobrir o destino de Lucy Ferrier.

— Eu sou Jefferson Hope — disse. — Você se lembra de mim.

O mórmon olhou para ele com espanto, sem disfarçar — de fato, era difícil reconhecê-lo nesse andarilho esfarrapado e desleixado, com o rosto pálido medonho e olhos ferozes e selvagens, em comparação com aquele jovem caçador elegante de antigamente. Tendo, no entanto, por fim ficado satisfeito quanto à sua identidade, a surpresa do homem mudou para pesar.

— Você é louco de vir aqui — lamentou. — Pode custar minha vida ser visto conversando com você. Há um mandado dos Quatro Santos contra você, por ajudar os Ferrier.

— Eu não os temo, nem seu mandado — disse Hope, sinceramente. — Você deve saber algo sobre isso, Cowper. Eu te imploro, por tudo o que você ama, que responda a algumas perguntas. Nós sempre fomos amigos. Pelo amor de Deus, não se recuse a me responder.

— O que é? — perguntou o mórmon, inquieto. — Seja rápido. As rochas têm ouvidos e as árvores, olhos.

— O que aconteceu com Lucy Ferrier?

— Ela se casou ontem com o jovem Drebber. Espere, cara, espere, parece que não há mais vida em você.

— Não se preocupe comigo — afirmou Hope, com fraqueza. Até seus lábios estavam brancos, e ele havia afundado na pedra contra a qual estava debruçado. — Casada, você disse?

— Casou-se ontem. É para isso que servem essas bandeiras no Templo. Houve algumas conversas entre o jovem Drebber e o jovem Stangerson, sobre qual dos dois deveria recebê-la. Os dois estavam no grupo que os seguiu e Stangerson matou o pai dela, o que parecia lhe dar a preferência; mas quando eles discutiram com o Conselho, os argumentos de Drebber eram os mais fortes, então o profeta a entregou a ele. Entretanto ninguém a terá por muito tempo, pois eu vi a morte em seu rosto ontem. Ela parece mais um fantasma que uma mulher. Você está indo embora, então?

— Sim, estou — confirmou Jefferson Hope, que havia levantado de seu assento. Seu rosto poderia ter sido esculpido em mármore, tão séria e rígida era sua expressão, e seus olhos brilhavam com uma luz maligna.

— Para onde você está indo?

— Não importa — respondeu e, atirando a arma por cima do ombro, desceu o desfiladeiro e foi para o coração das montanhas, para as cavernas das feras. Entre todos eles não havia ninguém tão feroz e perigoso como ele.

A previsão do mórmon foi muito bem cumprida. Se foi a terrível morte de seu pai ou os efeitos do terrível casamento em que ela havia sido forçada, a pobre Lucy nunca levantou a cabeça novamente, começou a definhar de desgosto e morreu em um mês. Seu marido bêbado, que havia se casado com ela principalmente por causa da propriedade de John Ferrier, não demonstrou nenhum grande pesar por seu luto, mas suas outras esposas choraram por ela e ficaram ao seu lado durante toda a noite anterior ao enterro, como é o costume mórmon. Elas se reuniram em torno do esquife nas primeiras horas da manhã, quando, para seu medo e espanto, a porta foi escancarada, e um homem de aparência selvagem e castigado pelo tempo em roupas esfarrapadas entrou na sala. Sem um olhar ou uma palavra para as mulheres temerosas, ele caminhou até a figura pálida e silenciosa que outrora continha a alma pura de Lucy Ferrier. Inclinando-se sobre ela, pressionou os lábios com reverência sobre sua testa fria e, então, segurando a mão dela, tirou o anel de casamento de seu dedo.

— Ela não será enterrada com isso! — gritou ele, com um grunhido feroz e, antes que um alarme pudesse ser disparado, desceu as escadas e desapareceu. O episódio foi tão estranho e tão breve que os observadores teriam encontrado dificuldades em acreditar nele ou convencer outras pessoas se não fosse pelo fato inegável de que o círculo de ouro que a identificava como uma noiva houvesse desaparecido.

Durante alguns meses, Jefferson Hope ficou entre as montanhas, vivendo uma vida selvagem e cultivando em seu coração o ávido desejo de vingança que o possuía. Histórias eram contadas na cidade sobre a estranha figura que havia sido vista caminhando pelos subúrbios e que assombrava os caminhos solitários da montanha. Certa vez, uma bala atravessou a janela de Stangerson e firmou-se na parede, a alguns centímetros dele. Em outra ocasião, quando Drebber passava sob um penhasco, uma grande rocha caiu em sua direção, e ele só escapou de uma morte terrível por ter se jogado no chão. Os dois jovens mórmons não conseguiam entender o motivo desses atentados contra suas vidas e diversas vezes guiaram expedições nas montanhas na esperança de capturar ou matar seu inimigo, e sempre sem sucesso. Então eles adotaram a precaução de nunca saírem sozinhos após o anoitecer e de guardarem suas casas. Depois de um tempo, puderam relaxar nessas medidas, pois nada mais foi ouvido sobre seu oponente, e esperavam que o tempo pudesse ter aliviado sua sede de vingança. Longe disso, ela havia aumentado. A mente do caçador tinha uma natureza severa e inflexível, e a ideia de vingança tinha tomado conta dele e não havia espaço para qualquer outra emoção. Mas era, acima de tudo, prático. E logo percebeu que mesmo sua estrutura de ferro não aguentaria a pressão que estava sendo colocada sobre ele. A exposição e o desejo de uma boa comida o estavam esgotando. Se morresse como um cão entre as montanhas, o que seria de sua vingança? Ainda assim, tal morte o encontraria se persistisse. Ele sentiu que isso seria cair no jogo do inimigo, então, relutante, retornou para as antigas minas de Nevada, para recuperar sua saúde e juntar dinheiro suficiente para que pudesse atingir seu objetivo sem dificuldades.

Sua intenção era se ausentar por, no máximo, um ano; contudo uma combinação de imprevistos o impediu de deixar as minas por cinco anos. No entanto, no final desse período, sua memória dos seus erros e sua vontade de vingança estavam tão afiadas quanto naquela noite memorável, em que ele ficou ao lado do túmulo de John Ferrier. Disfarçado, e com outro nome, retornou a Salt Lake City, sem se importar com o que aconteceria com sua própria vida, desde que obtivesse o que considerava ser justiça. Lá, deparou-se com más notícias. Houve uma divisão entre o Povo Escolhido meses antes, e alguns dos membros mais jovens da Igreja haviam se rebelado contra a autoridade dos anciãos, e o resultado tinha sido uma sucessão de certo número de pessoas descontentes, que saíram de Utah e tinham se tornado gentios. Entre eles, estavam Drebber e Stangerson; e ninguém sabia para onde tinham ido. Os rumores eram de que Drebber havia conseguido converter uma grande parte de sua propriedade em dinheiro e partido como um homem rico, enquanto seu companheiro, Stangerson, estava pobre, se comparado a ele. No entanto não havia nenhuma pista sobre seu paradeiro.

Muitos homens, ainda que vingativos, teriam abandonado qualquer pensamento de vingança em face de tal dificuldade, mas

Jefferson Hope nunca hesitou. Com a pequena competência que possuía, sustentado por qualquer emprego que pudesse conseguir, ele viajou de cidade em cidade pelos Estados Unidos em busca de seus inimigos. Anos se passaram, e seus cabelos pretos se tornaram grisalhos; entretanto ele continuou, em uma caçada humana, com sua mente completamente voltada para o objetivo ao qual havia dedicado toda sua vida. Por fim, sua perseverança foi recompensada. Foi por nada mais que olhar por uma janela, e aquele olhar lhe disse que Cleveland, em Ohio, estava com os homens que ele procurava. Ele, então, retornou para seu alojamento miserável, com seu plano de vingança totalmente preparado. Aconteceu que Drebber, olhando por sua janela, reconheceu o homem na rua e viu a morte em seus olhos. Então correu para um juiz, acompanhado por Stangerson, que havia se tornado seu assistente particular, e disse a ele que estavam correndo risco de morte por causa da inveja e do ódio de um antigo rival. Naquela noite, Jefferson Hope foi levado sob custódia e, sem conseguir fiança, ficou detido por algumas semanas. Quando finalmente foi liberado, descobriu que a casa de Drebber estava deserta e que ele e seu assistente haviam partido para a Europa.

Novamente, sua vingança havia sido frustrada e, novamente, seu ódio concentrado o compeliu a continuar sua busca. Entretanto era necessário ter dinheiro, e durante algum tempo ele precisou voltar a trabalhar, guardando cada dólar para sua jornada, que se aproximava. Enfim, quando reuniu dinheiro o suficiente para se manter vivo, partiu para a Europa e rastreou seus inimigos de cidade em cidade, formando seu caminho como podia, mas sem alcançar os fugitivos. Quando chegou a São Petersburgo, eles haviam partido para Paris; e quando os seguiu até lá, descobriu que eles haviam acabado de partir para Copenhagen. À capital dinamarquesa, chegou novamente alguns dias atrasado, pois haviam viajado para Londres, onde ele, enfim, conseguiu encontrá-los. E quanto ao que ocorreu lá, não podemos fazer nada melhor do que citar o relato do próprio caçador, como registrado devidamente no diário do Dr. Watson, a quem já devemos favores.

6
UMA CONTINUAÇÃO DAS MEMÓRIAS DO DR. JOHN WATSON

A FURIOSA RESISTÊNCIA DE NOSSO PRISIONEIRO aparentemente não indicava qualquer ferocidade em seu humor conosco, pois, ao ver-se indefeso, ele sorriu de maneira afável e expressou sua esperança de que não houvesse machucado nenhum de nós durante a briga.

— Acredito que vocês irão me levar para a delegacia de polícia — comentou com Sherlock Holmes. — Meu veículo está na porta. Se vocês afrouxarem minhas pernas, poderei andar até lá. Não sou tão fácil de levantar como antes.

Gregson e Lestrade trocaram olhares, como se pensassem que tal proposta era ousada demais, mas Holmes logo acreditou nas palavras do prisioneiro e afrouxou a toalha que prendia seus tornozelos. Ele se levantou e esticou as pernas, como se para garantir a si mesmo que elas estavam livres mais uma vez. Eu me lembro de pensar comigo mesmo, enquanto o olhava, que poucas vezes havia visto um homem com constituição mais forte, e seu rosto escuro, queimado de sol, carregava uma expressão de determinação e energia que era tão formidável quanto sua força pessoal.

— Se houver uma vaga para chefe de polícia, acredito que você seja o homem para tal — disse, enquanto olhava com grande admiração para meu companheiro de quarto. — O modo como me rastreou foi cauteloso.

— É melhor vocês virem comigo — disse Holmes aos dois detetives.

— Posso levá-los — garantiu Lestrade.

— Ótimo! E Gregson pode vir comigo, dentro do veículo. Você também, doutor. Você já se envolveu no caso e pode ficar conosco.

Eu concordei alegremente, e todos nós descemos juntos. Nosso prisioneiro não tentou fugir e entrou calmamente na carruagem que havia sido dele, e nós o seguimos. Lestrade arrumou a caixa, chicoteou o cavalo e nos levou rapidamente para nosso destino. Lá, fomos conduzidos a uma pequena sala, onde um inspetor de polícia anotou o nome de nosso prisioneiro e os nomes dos homens por quem ele havia recebido a queixa de assassinato. O oficial era um homem indiferente, pálido, que fazia seu trabalho de forma mecânica.

— O prisioneiro será levado diante dos magistrados em uma semana — informou. — Enquanto isso, Sr. Jefferson Hope, tem algo que gostaria de dizer? Devo alertá-lo de que suas palavras serão registradas e podem ser usadas contra você.

— Eu tenho muito a dizer — observou nosso prisioneiro. — Eu quero contar a vocês, cavalheiros, como tudo aconteceu.

— Não é melhor aguardar seu julgamento? — perguntou o inspetor.

— Talvez eu nunca seja julgado — respondeu. — Não precisam ficar assustados. Não estou pensando em suicídio. Você é médico?

— Ele voltou seus olhos negros e impetuosos em minha direção enquanto perguntava.

— Sim, eu sou — respondi.

— Então coloque sua mão aqui — disse com um sorriso, movendo-a com seus pulsos algemados em direção ao seu peito.

Assim o fiz e, de repente, tomei consciência de uma palpitação e agitação que estavam acontecendo lá dentro. As paredes de seu peito pareciam tremer e chacoalhar como um prédio frágil faria por dentro quando alguma máquina poderosa estivesse funcionando. No silêncio da sala, pude ouvir um ruído abafado e um zumbido partindo da mesma fonte.

— Uau — falei. — Você tem um aneurisma aórtico!

— É assim que eles o chamam — disse ele, tranquilamente. — Eu fui ao médico na semana passada por causa disso e ele me disse que deve estourar em poucos dias. Tem piorado com o passar dos anos. Eu o obtive devido à exposição ao sol e à subnutrição nas montanhas de Salt Lake. Já cumpri meu dever agora e não me importo de partir, mas gostaria de deixar um relato sobre o que deixei para trás. Não quero ser lembrado como um assassino comum.

O inspetor e os dois detetives tiveram uma breve discussão sobre a prudência de permitir que ele contasse sua história.

— Você considera, doutor, que há um risco imediato? — perguntou o inspetor.

— Com certeza há — afirmei.

— Nesse caso, é claramente nosso dever, sob o interesse da justiça, tomar seu depoimento — declarou o inspetor. — Você está livre para dar seu depoimento, senhor, que, novamente aviso, será registrado.

— Com sua licença, gostaria de me sentar — falou o prisioneiro, fazendo isso enquanto falava. — Esse meu aneurisma me deixa cansado facilmente e a briga que tivemos há uma hora não facilitou as coisas. Estou à beira do túmulo e não preciso mentir para vocês. Tudo o que eu disser é a verdade absoluta e o modo como usarão isso não me afeta.

Com essas palavras, Jefferson Hope inclinou-se em sua cadeira e começou o seguinte depoimento marcante. Ele falou de forma calma e metódica, como se os eventos que ele narrava fossem bastante comuns. Posso me responsabilizar pela exatidão do relato aqui anexado, pois tive acesso ao caderno de anotações de Lestrade, em que as palavras do prisioneiro foram registradas exatamente como proferidas.

— Não importa muito para vocês por que eu odiava esses homens — disse ele. — Era o bastante que fossem os culpados pela morte de dois seres humanos, um pai e uma filha, e que eles tinham, portanto, perdido suas próprias vidas. Após o tempo que havia se passado desde o crime, ficou impossível manter uma acusação contra eles em qualquer tribunal. No entanto eu sabia que eles eram culpados e decidi que deveria ser o juiz, o júri e o executor todos de uma vez. Vocês teriam feito o mesmo se tivessem qualquer masculinidade em vocês, se estivessem em meu lugar.

"Aquela garota de quem eu falei deveria ter se casado comigo há vinte anos. Ela foi forçada a se casar com esse Drebber, e faleceu por causa disso. Eu retirei a aliança de sua mão morta e jurei que seus olhos veriam aquela mesma aliança antes de morrer, e que seus últimos pensamentos seriam sobre o crime pelo qual era punido. Eu a carreguei comigo e o segui, e também a seu cúmplice, por dois continentes, até pegá-los. Eles pensaram que me fariam desistir, mas não conseguiram. Se eu morrer amanhã, o que é bem provável, morrerei sabendo que meu trabalho neste mundo foi feito, e bem-feito. Eles pereceram, e pelas minhas mãos. Não há nada mais para mim para esperar ou desejar.

"Eles eram ricos e eu era pobre, então não foi fácil segui-los. Quando cheguei a Londres, meu bolso estava quase vazio, e vi que precisaria fazer algo para sobreviver. Dirigir e guiar os cavalos é algo tão natural para mim quanto andar, então me candidatei em um escritório de proprietários de carruagens e logo arrumei um emprego. Eu deveria levar uma certa quantia por semana para o proprietário, e o que sobrasse seria meu. Raramente sobrava alguma coisa, mas consegui guardar um pouco de alguma forma. A tarefa mais difícil foi conhecer os trajetos, pois eu me lembro de todos os labirintos que foram criados, e essa cidade é mais confusa. Eu tinha um mapa comigo, e assim que aprendi os principais hotéis e estações, fiquei muito bem.

"Demorou um tempo até que eu descobrisse onde meus dois cavalheiros estavam vivendo, mas investiguei muito até cruzar com eles. Ambos estavam em uma pensão em Camberwell, do outro lado do rio. Quando os descobri, sabia que os tinha em minhas mãos. Deixei minha barba crescer e não havia chance de eles me reconhecerem. Eu os perseguiria até ver minha oportunidade. Eu estava decidido a não deixá-los escapar novamente.

"Por causa disso, eles sempre estavam por perto. Onde quer que andassem em Londres, eu estava atrás deles. Às vezes, os seguia em minha carruagem e, às vezes, a pé, mas com a carruagem era melhor, pois assim eles não conseguiam fugir de mim. Só conseguia trabalhar bem cedo ou tarde da noite, então comecei a dever para meu patrão. No entanto não me importava com isso, contanto que eu pudesse colocar minhas mãos sobre os homens que buscava.

"Mas eles eram muito astutos. Devem ter pensado que havia alguma chance de eles estarem sendo seguidos, pois nunca saíam sozinhos, e nunca depois do anoitecer. Durante duas semanas, eu os segui de carruagem todos os dias, e nunca os vi separados. O próprio Drebber estava bêbado durante metade do tempo, mas Stangerson não podia cochilar. Eu os acompanhava cedo e tarde, porém nunca vi uma oportunidade. Meu único medo era de que essa coisa em meu peito pudesse estourar cedo demais e deixar meu trabalho inacabado.

"Por fim, uma noite eu estava guiando pela Torquay Terrace, como era o nome da rua onde estavam hospedados, quando vi um táxi aproximar-se de sua porta. Naquele momento, a bagagem foi levada e depois de um tempo Drebber saiu e Stangerson o seguiu, e partiram. Acelerei meu cavalo e não os perdi de vista. Me senti muito mal no princípio, pois temia que eles fossem mudar de cidade. Eles desembarcaram na estação Euston. Deixei um menino cuidando do meu cavalo e os segui até a plataforma. Eu os ouvi perguntando sobre um trem para Liverpool, e o guarda respondeu que havia acabado de partir e que não haveria mais nenhum nas horas seguintes. Stangerson parecia aborrecido com isso, mas Drebber ficou muito feliz. Eu me aproximei tanto deles com a pressa, que eu conseguia ouvir cada palavra que falavam. Drebber disse que tinha um assunto para resolver e que se o outro pudesse esperar, ele logo voltaria. Seu companheiro protestou e o lembrou de que eles haviam decidido ficar juntos. Drebber respondeu que o assunto era delicado e que deveria ir sozinho, mas o outro ficou irritado e ele o lembrou de que ele não era nada além de um funcionário pago e que não deveria pensar que dava ordens a ele. Com isso, o assistente desistiu dele e simplesmente combinou que, se ele perdesse o último trem, deveria encontrá-lo no Hotel Particular Halliday; assim, Drebber respondeu que estaria de volta na plataforma antes das onze horas e saiu da estação.

"O momento pelo qual eu tinha esperado tanto finalmente havia chegado. Eu tinha meus inimigos em meu poder. Juntos, eles poderiam se proteger, mas sozinhos estavam em minhas mãos. No entanto não agi precipitadamente. Meus planos já estavam elaborados. Não há nenhuma satisfação na vingança a não ser que o responsável pela ofensa tenha tempo de perceber quem o golpeia e por que ele está sofrendo. Eu tinha meus planos programados por meio dos quais teria a oportunidade de fazer o homem que me prejudicou entender que seu antigo pecado o havia encontrado. E aconteceu que, alguns dias antes, um homem que estava procurando algumas casas na Brixton Road havia deixado cair as chaves de uma delas em minha carruagem. Ele as procurou na mesma noite e eu as devolvi, mas, nesse intervalo, fiz uma cópia. Graças a isso, consegui ao menos um lugar nessa grande cidade onde eu poderia ter certeza de que não seria interrompido. Como levar Drebber até aquela casa era um problema difícil que eu teria que resolver.

"Ele desceu a rua e entrou em uma ou duas lojas de bebidas, ficando quase meia hora na última delas. Quando saiu, cambaleou em sua caminhada e, evidentemente, estava muito bêbado. Havia uma carruagem à minha frente e ele a chamou. Eu o segui tão de perto que o nariz do meu cavalo ficou a um metro de seu cocheiro o tempo todo. Atravessamos a ponte Waterloo e percorremos quilômetros de ruas até que, para meu espanto, voltamos para o terraço onde ele havia se hospedado. Eu não tinha ideia de qual era a intenção dele em voltar lá, mas continuei e estacionei minha carruagem a uns cem metros da casa. Ele entrou, e sua carruagem foi embora. Por favor, me dê um copo de água. Minha boca fica seca ao falar."

Eu lhe entreguei o copo e ele bebeu.

— Assim é melhor — disse ele. — Bem, eu esperei por um quarto de hora, ou mais, quando, de repente, ouvi um barulho de pessoas lutando dentro da casa. No momento seguinte, a porta foi aberta e dois homens apareceram. Um deles era Drebber, e o outro era um rapaz que eu nunca tinha visto antes. Esse sujeito segurava Drebber pelo colarinho e, quando chegaram ao último degrau, ele deu-lhe um empurrão e um chute que o fez parar do outro lado da estrada. "Seu animal!", ele gritou, sacudindo a madeira em suas mãos na direção dele. "Eu vou te ensinar a não insultar uma garota honesta!".

"Ele estava tão agitado que acho que teria espancado Drebber com o porrete, mas o vira-latas cambaleava pela estrada tão rápido quanto suas pernas conseguiam carregá-lo. Ele correu até a esquina e, então, ao ver minha carruagem, me chamou e embarcou. 'Leve-me para o Hotel Particular Halliday', ele disse.

"Quando ele entrou em minha carruagem, meu coração saltou de alegria, e temi que aquele fosse o momento em que meu aneurisma pudesse estourar. Eu conduzi vagarosamente, pensando comigo mesmo o que seria melhor fazer. Poderia levá-lo para algum lugar no campo e ali, em alguma rua deserta, ter minha última conversa com ele. Eu havia decidido fazer isso, quando ele resolveu o problema para mim. A vontade de beber o alcançou novamente e ele pediu que eu parasse em um bar. Ele entrou e deixou a instrução de que eu deveria esperar por ele. Lá, permaneceu até a hora de fechar e, quando saiu, estava fora de si, e eu sabia que o jogo estava em minhas mãos.

"Não pensem que eu pretendia matá-lo a sangue-frio. Teria sido justo eu fazer dessa forma, mas não conseguiria. Há muito tempo eu havia decidido que ele poderia lutar por sua vida se escolhesse aproveitar a oportunidade. Entre os muitos trabalhos que tive na América durante meu tempo de andarilho, certa vez fui o zelador e responsável pela limpeza em um laboratório na Universidade de York. Um dia, o professor estava dando aula sobre venenos e mostrou para seus alunos alguns alcaloides, como ele os chamava, que havia extraído de uma erva venenosa da América do Sul, e que era tão poderosa que mesmo o menor grão provocaria uma morte instantânea. Eu vi a garrafa em que a preparação estava guardada e, quando todos foram embora, peguei um pouco do veneno para mim. Era um recipiente grande, então preparei esse alcaloide em pequenas pílulas solúveis e coloquei cada uma delas em uma caixa com uma pílula parecida, preparada sem o veneno.

"Naquele momento, decidi que, quando tivesse minha chance, meus cavalheiros pegariam uma pílula de uma das caixas, enquanto eu tomaria a pílula que restasse. Seria tão mortal quanto e muito mais silencioso que atirar através de um lenço. A partir daquele dia, sempre carreguei minhas caixas de pílulas comigo, e havia chegado o momento de usá-las.

"Era quase uma da manhã, em uma noite selvagem e fria, com ventos fortes e chuva torrencial. Por mais sombrio que estivesse lá fora, estava feliz por dentro. Tão feliz que poderia ter gritado de pura felicidade. Se qualquer um de vocês, cavalheiros, tivesse ansiado por algo e esperado por vinte longos anos, e, de repente, o encontrasse ao seu alcance, vocês entenderiam meus sentimentos. Eu acendi um charuto para acalmar meus nervos, mas minhas mãos estavam tremendo e minhas têmporas palpitavam de excitação. Enquanto eu conduzia, podia ver o velho John Ferrier e a doce Lucy olhando para mim da escuridão e sorrindo, tão nítidos como vejo vocês nesta sala. Eles ficaram à minha frente durante todo o caminho, um de cada lado do cavalo, até eu parar na casa de Brixton Road.

"Não havia nem uma alma para ser vista, nem um som para ser ouvido, a não ser o gotejar da chuva. Quando olhei pela janela, vi Drebber todo encolhido em um sono de embriaguez. Eu o chacoalhei pelo braço: 'É hora de sair', eu disse. 'Tudo bem, cocheirinho', falou.

"Suponho que ele tenha pensado que havia chegado ao hotel mencionado, pois saiu sem perguntar nada e me seguiu pelo jardim. Eu precisei caminhar ao lado dele para mantê-lo firme, pois ele ainda estava um pouco bêbado. Quando chegamos à porta, eu a abri e o levei até o cômodo da frente. Eu lhes dou a minha palavra de que, o tempo todo, o pai e a filha caminhavam adiante de nós.

"'Está muito escuro', ele disse, tateando. 'Logo teremos luz', falei, acendendo um fósforo e, com ele, uma vela de cera que eu havia levado comigo. 'Agora, Enoch Drebber', continuei, virando-me para ele, segurando a luz contra meu rosto. 'Quem sou eu?'.

"Ele olhou para mim por um momento com seus olhos bêbados e turvos, e então vi o horror surgirem neles. Sua expressão tremia, o que me mostrou que ele sabia quem eu era. Cambaleou para trás com o rosto pálido, e eu vi o suor começar a escorrer sobre sua testa, enquanto seus dentes rangiam. Ao ver isso, encostei-me na porta e comecei a gargalhar. Eu sempre soube que a vingança seria doce, mas nunca esperei o contentamento de alma que me dominou naquele momento.

"Eu disse: 'Seu cão! Eu o procurei de Salt Lake City até São Petersburgo, e você sempre escapou. Agora, finalmente, suas andanças chegaram ao fim, pois eu ou você nunca mais veremos o Sol nascer'. Ele encolheu-se para mais longe enquanto eu falava, mas conseguia ver em seu rosto que ele pensava que eu estava louco. E, naquele momento, eu estava. A pulsação em minhas têmporas batia como uma marreta, e acredito que teria tido um ataque de algum tipo se meu nariz não tivesse sangrado para aliviar a pressão.

"Eu exclamei, trancando a porta e balançando a chave diante dele: 'O que você pensa de Lucy Ferrier agora? A punição demorou para chegar, mas finalmente o encontrou'. Eu vi seus lábios covardes tremendo enquanto eu falava. Ele teria implorado por sua vida, mas sabia bem que era inútil. 'Você me mataria?', perguntou. 'Não haverá um assassinato', respondi. 'Quem fala sobre assassinar um cão louco? Que misericórdia você teve com minha querida, quando a arrancou de seu pai morto e a levou para seu vergonhoso harém?'. "Ele respondeu: 'Mas não fui eu quem matou o pai dela'. 'Mas foi você quem despedaçou seu coração inocente', retruquei, lançando a caixa diante dele. 'Deixe que Deus seja o juiz entre nós. Escolha e coma. Há morte em uma e vida na outra. Eu tomarei a que você deixar. Vamos ver se há justiça na terra ou se somos governados pelo acaso'.

"Ele se afastou, com gritos e pedidos de misericórdia, mas saquei minha faca e a segurei na garganta dele até que me obedecesse. Então engoli a outra pílula, e ficamos olhando um para o outro em silêncio por um minuto ou mais, esperando para ver quem deveria viver e quem deveria morrer. Eu nunca esquecerei o olhar que surgiu em seu rosto quando as primeiras pontadas o avisaram que o veneno estava em seu sistema. Eu ri enquanto assistia àquilo e segurei o anel de casamento da Lucy diante dos olhos dele. Foi apenas um momento, pois a ação do alcaloide é rápida. Um espasmo de dor retorceu seu rosto, ele esticou seus braços à frente de seu corpo e, então, com um grito rouco, caiu ao chão. Eu o virei com o meu pé e coloquei minha mão sobre o coração dele. Não havia nenhum movimento. Ele estava morto!

"O sangue estava fluindo de meu nariz, mas eu não havia percebido. Não sei o que deu em mim para escrever na parede com ele. Talvez tenha sido uma ideia terrível de colocar a polícia no caminho errado, pois me sentia feliz e com o coração leve. Eu me lembrei de que um alemão havia sido encontrado em Nova York com a palavra '*rache*' escrita sobre ele, e foi falado no jornal da época que as sociedades secretas deviam ter cometido aquele crime. Eu pensei que o que intrigou os nova-iorquinos poderia intrigar os londrinos, então mergulhei meus dedos em meu próprio sangue e escrevi em um local conveniente da parede. Então caminhei até minha carruagem e vi que não havia ninguém por perto, e que a noite ainda estava muito deserta. Eu já havia dirigido algum tempo quando coloquei minha mão no bolso em que eu normalmente guardava a aliança de Lucy e descobri que não estava ali. Fiquei atordoado com isso, porque era a única recordação que eu tinha dela. Pensando que devia ter deixado cair quando me debrucei sobre o corpo de Drebber, voltei até lá, deixei minha carruagem em uma rua lateral e caminhei ousadamente até a casa — pois eu estava pronto para enfrentar qualquer coisa para não perder o anel. Quando cheguei lá, me deparei com um policial que estava saindo da casa e só consegui desarmar suas suspeitas ao fingir estar completamente bêbado.

"E foi assim que a vida de Enoch Drebber terminou. Tudo o que tive que fazer foi basicamente o mesmo com Stangerson, e então pagar a dívida de John Ferrier. Eu sabia que ele estava hospedado no Hotel Particular Halliday, então fiquei na área o dia inteiro, mas ele não saiu. Imagino que tenha suspeitado de algo quando Drebber não apareceu. Stangerson era astuto e estava sempre atento. Se pensou que poderia me manter longe ao ficar escondido, estava muito errado. Eu logo descobri qual era a janela de seu quarto e, na manhã seguinte, aproveitei algumas escadas que estavam no terreno atrás do hotel e entrei no quarto no amanhecer acinzentado. Eu o acordei e disse que havia chegado a hora em que ele deveria responder pela vida que havia tirado há muito tempo. Eu descrevi a morte de Drebber para ele e lhe dei a mesma escolha das pílulas envenenadas. Ao invés de agarrar-se à chance de segurança que eu lhe oferecia, ele pulou da cama e voou para o meu pescoço. Em legítima defesa, eu o golpeei no coração. O resultado teria sido o mesmo de qualquer forma, porque a Providência nunca teria permitido que sua mão culpada escolhesse qualquer coisa além do veneno.

"Eu não tenho quase mais nada a dizer, e é bom, porque estou esgotado. Continuei com a carruagem por um dia ou mais, tentando mantê-la até que juntasse o suficiente para voltar para a América. Eu estava parado no jardim quando um jovem em farrapos me perguntou se havia um cocheiro chamado Jefferson Hope e disse que seu táxi era esperado por um cavalheiro no número 221B na Rua Baker. Eu fui, sem suspeitar de nada, e, de repente, esse jovem havia colocado as algemas em meus pulsos, e tão bem ajustadas como jamais havia visto em minha vida. Essa é toda a minha história, cavalheiros. Vocês podem me considerar um assassino, mas eu me vejo com um oficial de justiça como vocês".

A narrativa do homem havia sido tão emocionante e sua postura era tão impressionante que ficamos em silêncio, absorvidos por ela. Até mesmo os detetives profissionais, tão indiferentes que eram em todos os detalhes do crime, pareciam estar profundamente interessados na história do homem. Quando terminou, ficamos parados por alguns minutos, em um silêncio que só foi quebrado pelo som do lápis de Lestrade enquanto ele dava os toques finais à caligrafia desse relato.

— Há um ponto em que eu gostaria de mais informações — disse, finalmente, Sherlock Holmes. — Quem era seu cúmplice, que foi buscar o anel quando o anunciei?

O prisioneiro piscou para meu amigo, ironicamente.

— Eu posso contar meus próprios segredos — disse ele —, mas não posso arranjar problemas para outras pessoas. Eu vi seu anúncio e pensei que seria um engano, ou poderia ser o anel que eu queria. Meu amigo se ofereceu para ir ver. Acho que você pode presumir que ele fez tudo de modo brilhante.

— Sem dúvida — assumiu Holmes.

— Agora, cavalheiros — disse o inspetor —, devemos cumprir as regras da lei. Na quinta-feira, o prisioneiro será levado diante dos magistrados, e vocês deverão estar presentes. Até lá, ficarei responsável por ele.

Enquanto falava, ele tocou um sino, e Jefferson Hope foi levado por dois carcereiros. Meu amigo e eu saímos da delegacia e pegamos uma carruagem de volta a Baker Street.

7
A CONCLUSÃO

TODOS NÓS FOMOS CONVOCADOS a comparecer perante os magistrados na quinta-feira, mas quando o dia chegou, não havia motivos para nosso depoimento. Um juiz em posição mais elevada tinha assumido o caso e Jefferson Hope havia sido convocado para comparecer diante de um tribunal em que a justiça mais severa seria feita.

Na mesma noite após sua captura, seu aneurisma estourou e ele foi encontrado pela manhã, esticado no chão de sua cela, com um sorriso tranquilo em seu rosto, como se nos últimos momentos tivesse olhado para trás, para uma vida útil e em um trabalho bem-feito.

— Gregson e Lestrade ficarão malucos com a morte dele — observou Holmes enquanto conversávamos na noite seguinte. — Onde estará o reconhecimento deles agora?

— Eu não enxergo como eles tiveram a ver com essa captura — respondi.

— O que fazemos neste mundo é uma questão sem consequências — declarou meu companheiro, amargamente. — O ponto é: o que você pode fazer para as pessoas acreditarem que você fez.

Não importa — continuou, e feliz, após uma pausa. — Eu não teria perdido essa investigação por nada. Que eu me lembre, não houve nenhum caso melhor do que esse. Por mais simples que tenha sido, houve vários pontos instrutivos.

— Simples? — retorqui.

— Bem, realmente; não pode ser descrito de outra forma — disse Sherlock Holmes, sorrindo com minha surpresa. — A prova de sua simplicidade intrínseca é que, sem nenhuma ajuda, a não ser algumas deduções comuns, fui capaz de colocar as mãos no criminoso em três dias.

— Isso é verdade — concordei.

— Eu já expliquei a você que aquilo que é fora do comum é normalmente um guia, e não um obstáculo. Ao resolver um problema desse tipo, a parte agradável é poder raciocinar de trás para a frente. Essa é uma conquista muito útil, e muito fácil, porém as pessoas não a praticam muito. Nos assuntos do dia a dia é mais útil pensar adiante, então as outras formas são negligenciadas. Há cinquenta que podem raciocinar sinteticamente para apenas um que consegue raciocinar analiticamente.

— Eu confesso — comentei — que realmente não acompanho seu raciocínio.

— E eu não esperaria que você o fizesse. Deixe-me ver se consigo tornar mais claro. A maioria das pessoas, se você descrever uma série de acontecimentos, irá lhe dizer qual será o resultado. Elas conseguem reunir esses acontecimentos em sua mente e, daí, presumem que algo vai acontecer. No entanto há poucas pessoas que, se você contar a elas o resultado, seriam capazes de evoluir, de sua própria consciência interior, quais são os passos que levaram até esse resultado. É essa habilidade a que me refiro quando falo de pensar de trás para frente, ou analiticamente.

— Entendo — falei.

— Agora, esse foi um caso em que recebemos o resultado e precisamos descobrir tudo sozinhos. Agora me deixe mostrar a você os diferentes passos de meu raciocínio. Para começar do começo. Eu me aproximei da casa, como você viu, a pé, e com a minha mente totalmente livre de quaisquer impressões.

"Eu naturalmente comecei examinando a estrada e, ali, como já expliquei a você, vi claramente as marcas de um táxi que, certifiquei por meio de investigação, deveria ter estado lá durante a noite. Acertei comigo mesmo que era um táxi, e não uma carruagem particular, pela medida estreita das rodas. O veículo mais comum em Londres é consideravelmente menos largo que a carruagem de um cavalheiro.

"Esse foi o primeiro ponto acertado. Então caminhei lentamente pelo caminho do jardim, que aparentemente era composto de um solo com barro, particularmente adequado para extrair impressões. Sem dúvidas, para você, parecia apenas um terreno pisoteado de lama, mas, para meus olhos treinados, cada marca em sua superfície tinha um significado. Não há nenhum ramo da ciência de investigação que seja tão importante e tão negligenciado quanto a arte de traçar pegadas. Felizmente, sempre me dediquei a isso, e tanta prática tornou tal arte natural para mim. Eu vi as pegadas pesadas dos oficiais, além da trilha dos dois homens que haviam passado antes pelo jardim. Foi fácil perceber que eles haviam passado por lá antes dos outros, pois, em alguns lugares, suas pegadas haviam sido totalmente apagadas pelas outras que passaram por cima delas. Assim, meu segundo elo foi formado, e ele me dizia que os visitantes noturnos eram dois: um notável, por sua altura (como eu calculei pela largura de suas passadas), e outro, bem-vestido, a julgar pela pegada pequena e elegante deixada por suas botas.

"Ao entrar na casa, o último pensamento foi confirmado. Meu homem de botas elegantes estava ali, diante de mim. O mais alto, então, teria cometido o assassinato, se é que havia um. Não havia ferimento no cadáver, mas a expressão agitada em sua face me garantiu que ele havia previsto seu destino antes de este o alcançar. Homens que morrem de doenças do coração ou por outras causas naturais repentinas, nunca, de jeito nenhum, demonstram agitação em seu rosto. Ao cheirar os lábios do falecido, percebi um odor um pouco azedo e cheguei à conclusão de que ele havia tomado veneno. Novamente, pensava que alguém o havia obrigado a tomar o veneno, por causa do ódio e do medo expressos em seu rosto. Pelo método de exclusão, cheguei a essa conclusão, pois nenhuma outra hipótese se encaixaria nos fatos. Não pense que foi uma ideia inédita. A administração forçada de veneno não é, de forma alguma, algo novo na história criminal. Os casos de Dolsky, em Odessa, e de Leturier, em Montpellier, virão à mente de qualquer toxicólogo.

"E agora surgia a grande questão sobre o motivo. O roubo não era a razão do assassinato, pois nada havia sido levado. Era político, então? Ou por uma mulher? Essa era a questão que me confrontava. Eu estava inclinado a acreditar na segunda hipótese. Assassinos políticos ficam felizes em fazer seu trabalho e ir embora. No entanto esse assassinato havia sido cometido de forma deliberada e seu executor tinha deixado rastros em toda a sala, mostrando que havia ficado lá o tempo todo. Deveria ter sido um assunto pessoal, e não político, que pedia uma vingança tão metódica. Quando a inscrição foi descoberta na parede, fiquei mais inclinado do que nunca à minha opinião anterior. A escrita era, evidentemente, um elemento solto. No entanto, quando a aliança foi encontrada, resolveu-se a questão. Era claro que o assassino havia usado para lembrar sua vítima sobre uma mulher morta ou ausente. Foi por isso que perguntei para Gregson se ele havia perguntado, em seu telegrama para Cleveland, sobre qualquer ponto específico do emprego anterior de Drebber. Ele respondeu, como você se lembra, com uma negativa.

"Então continuei a analisar a sala cuidadosamente, o que confirmou minha opinião sobre a altura do assassino e me deu mais detalhes, como o charuto Trichinopoly e o comprimento de suas unhas. Eu já havia chegado à conclusão, como não havia sinais de luta, de que o sangue que cobria o chão havia jorrado do nariz do assassino, por sua agitação. Notei que o rastro de sangue coincidia com o rastro de seus pés. Raramente algum homem, a não ser que seja muito forte, irrompe dessa forma pela emoção, então me arrisquei na opinião de que o criminoso era provavelmente robusto e de face rosada. Os acontecimentos provaram que julguei corretamente.

"Ao sair da casa, fui fazer o que Gregson havia negligenciado. Eu mandei um telegrama para o chefe de polícia em Cleveland, limitando minhas perguntas às circunstâncias ligadas ao casamento de Enoch Drebber. A resposta foi conclusiva. Ela me dizia que Drebber já havia pedido proteção policial contra um antigo rival romântico, chamado Jefferson Hope, e que esse mesmo Hope estava na Europa. Eu sabia que tinha a chave do mistério em minhas mãos e tudo o que faltava era pegar o assassino.

"Eu já havia determinado em minha mente que o homem que tinha entrado na casa com Drebber era o mesmo que havia conduzido o táxi. As marcas na estrada me mostraram que o cavalo havia caminhado de uma forma que teria sido impossível caso alguém estivesse com ele ali. Onde, então, poderia estar o cocheiro, a não ser dentro da casa? Novamente, é um absurdo supor que qualquer homem são iria realizar um crime de forma deliberada sob os olhos de uma terceira pessoa, que certamente o entregaria. Por fim, supondo que um homem quisesse rodar por Londres para acompanhar alguém, que meio seria melhor do que se tornar um taxista? Todas essas considerações me guiaram à irresistível conclusão de que Jefferson Hope seria encontrado entre os cocheiros de carros alugados da metrópole.

"Se ele fosse um cocheiro, não havia motivos para que deixasse de ser. Pelo contrário, desse ponto de vista, qualquer mudança repentina poderia atrair atenção sobre ele. Então, provavelmente, continuaria em suas funções pelo menos por algum tempo. Não havia motivos para supor que tivesse mudado de nome. Por que mudá-lo em um país onde ninguém conhecia o original? Assim, organizei minha equipe de detetives entre os árabes de rua e os enviei sistematicamente a todos os proprietários de táxis em Londres até que eles encontrassem o homem que eu procurava. Como conseguiram fazer isso e como aproveitei rapidamente minha oportunidade, ainda estão frescos em sua memória. O assassinato de Stangerson foi um incidente totalmente inesperado, mas que não poderia ter sido evitado de forma alguma. Por meio dele, como você sabe, tomei posse das pílulas, cuja existência já havia previsto. Você pode observar que tudo é uma corrente de sequências lógicas sem brechas ou falhas.

— É maravilhoso! — gritei. — Seus méritos deveriam ser reconhecidos publicamente. Você deveria publicar um relato do caso. Se não o fizer, eu o farei por você.

— Pode fazer o que quiser, doutor — respondeu ele. — Olhe aqui! — continuou, entregando-me um papel: — Veja isto!

Era a edição do dia do jornal *Echo*, e o parágrafo que ele apontava era dedicado ao caso em questão.

— O público — dizia o artigo — perdeu um divertimento sensacional com a morte repentina do homem chamado Hope, suspeito pelo assassinato do Sr. Enoch Drebber e do Sr. Joseph Stangerson. Os detalhes do caso provavelmente nunca serão conhecidos agora, embora tenhamos sido informados pelas autoridades de que o crime havia sido o resultado de uma antiga disputa amorosa, em que participavam o amor e o mormonismo. Parece que as duas vítimas pertenciam, em sua juventude, aos Santos dos Últimos Dias e que Hope, o prisioneiro falecido, também vinha de Salt Lake City. Se o caso não teve nenhum outro desfecho, ao menos demonstra, de maneira marcante, a eficiência de nossos detetives da força policial, e servirá de lição para todos os estrangeiros que eles fazem bem ao resolver suas disputas em casa, e não trazê-las para o solo britânico. É um segredo aberto a todos que o crédito dessa inteligente prisão pertence inteiramente aos famosos oficiais da Scotland Yard, os senhores Lestrade e Gregson. Aparentemente, o homem foi preso nas dependências do Sr. Sherlock Holmes, um amador, que também demonstrou algum talento como detetive e que, com seus instrutores, espera, com o tempo, adquirir algum conhecimento das habilidades dos senhores. Espera-se que um depoimento de algum tipo seja apresentado aos dois oficiais, como um reconhecimento adequado por seus serviços.

— Não disse a você, assim que começamos? — exclamou Sherlock Holmes com uma risada. — Esse é o resultado de todo o nosso Estudo em Vermelho: eles receberão uma honra!

— Não importa — respondi. — Tenho todos os fatos registrados em meu diário e o público deverá conhecê-los. Enquanto isso, você deve contentar-se com a consciência do sucesso, como diria o miserável romano...

"*Populus me sibilat, at mihi plaudo*
Ipse domi simul ac nummos contemplor in arca."[5]

---

[5] "O povo me vaia, mas eu me alegro quando chego em casa e vejo as moedas em minha arca." Citação de Horácio, em sua *1ª Sátira*. (N. T.)

facebook/novoseculoeditora
@novoseculoeditora
@NovoSeculo
novo século editora

FONTE: Minion Pro

gruponovoseculo
.com.br